水利部黄河水利委员会

黄河下游放淤(泵淤)工程预算定额

（试行）

黄河水利出版社

图书在版编目(CIP)数据

黄河下游放淤(泵淤)工程预算定额:试行/河南黄河勘测设计研究院编.—郑州:黄河水利出版社,2004.6

ISBN 7-80621-787-8

Ⅰ.黄… Ⅱ.河… Ⅲ.黄河—下游河段—放淤—预算定额 Ⅳ.TV882.1

中国版本图书馆 CIP 数据核字(2004)第 041327 号

出 版 社:黄河水利出版社

地址:河南省郑州市金水路 11 号　邮政编码:450003

发行单位:黄河水利出版社

发行部电话及传真:0371-6022620

E-mail:yrcp@public.zz.ha.cn

承印单位:黄河水利委员会印刷厂

开本:850mm×1 168mm　1/32

印张:4.8

字数:128 千字　　印数:1—1 000

版次:2004 年 6 月第 1 版　　印次:2004 年 6 月第 1 次印刷

书号:ISBN 7-80621-787-8/TV·354　　定价:60.00 元

水利部黄河水利委员会文件

黄建管[2004]13号

关于发布《黄河下游放淤(泵淤)工程预算定额》(试行)的通知

委属有关单位:

为适应社会主义市场经济体制的需要,合理确定和有效控制黄河下游防洪工程基本建设投资,提高投资效益,根据国家和水利部的有关规定,结合黄河实际情况,黄委水利工程建设造价经济定额站组织编制了《黄河下游放淤(泵淤)工程预算定额》(试行),已经审查通过,现予以颁布。本定额自颁发之日起执行,原相应定额同时废止。

本定额与水利部颁布的《水利建筑工程预算定额》(2002)配套使用(采用本定额编制概算时,相应子目乘以

1.03 系数)，在执行过程中如有问题请及时函告黄河水利委员会水利工程建设造价经济定额站。

水利部黄河水利委员会

二〇〇四年五月十二日

主题词：放淤(泵淤)　工程△　预算　定额　通知

抄送：水利部规划计划司、建设与管理司，水利部水利水电规划设计总院。

黄河水利委员会办公室　　　　2004 年 5 月 14 日印制

主 持 单 位　黄河水利委员会水利工程建设造价经济定额站

主 编 单 位　河南黄河勘测设计研究院

审　　　查　李文家

主　　　编　吴宾格　杨明云　李传富　温小国

副　主　编　李兴平　闫　民　马志远　孙淑明　席风仪

编写组成员　闫　民　孙淑明　辛　忠　耿明全　冯　波

杨志超　卢立新　马　乐　闫国杰　王　原

目　录

说　明

一、《黄河下游放淤(泵淤)工程预算定额》(以下简称本定额),分为22kW水力冲挖机组、100kW组合泵、136kW组合泵三节,施工机械台时费定额及附录。

二、本定额适用于黄河下游放淤工程项目,是编制《黄河下游放淤(泵淤)工程概算定额》的基础。

三、本定额不包括冬季、雨季等气候影响施工的因素及增加的设施费用。

四、本定额按一日三班作业施工、每班八小时工作制拟定。若部分工程项目采用一日一班或两班制的,定额不作调整。

五、水力冲挖机组的土类划分为Ⅰ~Ⅲ类,详见附录水力冲挖机组土类划分表。

六、水力冲挖机组

1.人工:指组织和从事冲挖、排泥管线及其他辅助设施的安拆、移设、检护等辅助工作用工。

2.本定额适用于基本排高5m,每增(减)1m,排泥管长度相应增(减)25m。

3.排泥管线长度:指计算铺设长度,如计算排泥管线长度介于定额两子目之间时,以"插入法"计算。

七、组合泵

1.人工:指从事水力冲挖和修集浆池、巡视检修排泥管线等其他辅助工作的用工。不包括主排泥管线的安装、拆除、淤区围格(堤)填筑等用工。

2.组合泵中的水力冲挖机组按基本排高5m,排泥管长度200m拟定。

3.排泥管线长度:指自集浆池至淤区中心的管线计算长度。如所需排泥管线长度介于定额两子目之间时,按“插入法”计算。

4.组合泵基本排高6m,每增(减)1m,定额乘(除)以1.02系数。

八、本定额中零星材料费,以费率形式表示,其计算基数为人工费、机械费之和。

九、本定额不含机械排水费用。

十、土方开挖工程中,用加压泵输送土方时,相应的人工工时、机械台时定额乘以0.95系数,零星材料费费率为2%。

1　水力冲挖机组

工作内容：开工展布、水力冲挖、吸排泥、作业面转移及收工集合等。

(1)　Ⅰ类土

单位：$10000m^3$

项　　目	单位	排泥管线长度(m)					
		≤50	100	150	200	250	300
工　长	工时						
高级工	工时						
中级工	工时	8.6	9.5	10.9	12.0	13.7	15.9
初级工	工时	77.4	85.3	98.1	107.8	122.9	142.8
合　计	工时	86.0	94.8	109.0	119.8	136.6	158.7
零星材料费	%	2	2	2	2	2	2
高压水泵 22kW	台时	172.06	189.50	217.95	239.55	272.97	317.49
水枪 Φ65mm 2 支	组时	172.06	189.50	217.95	239.55	272.97	317.49
泥浆泵 22kW	台时	172.06	189.50	217.95	239.55	272.97	317.49
排泥管 Φ150mm	百米时	86.03	189.50	326.93	479.10	682.43	952.47
编　　号		81590	81591	81592	81593	81594	81595

1　水力冲挖机组

工作内容：开工展布、水力冲挖、吸排泥、作业面转移及收工集合等。

(2)　Ⅱ类土

单位：10000m³

项　目	单位	排泥管线长度(m)					
		≤50	100	150	200	250	300
工　长	工时						
高级工	工时						
中级工	工时	11.0	12.1	14.0	15.3	17.5	20.3
初级工	工时	99.1	109.2	125.6	138.0	157.2	182.9
合　计	工时	110.1	121.3	139.6	153.3	174.7	203.2
零星材料费	%	2	2	2	2	2	2
高压水泵 22kW	台时	220.24	242.56	278.98	306.62	349.40	406.39
水枪 Φ65mm 2 支	组时	220.24	242.56	278.98	306.62	349.40	406.39
泥浆泵 22kW	台时	220.24	242.56	278.98	306.62	349.40	406.39
排泥管 Φ150mm	百米时	110.12	242.56	418.47	613.24	873.50	1219.17
编　号		81596	81597	81598	81599	81600	81601

1　水力冲挖机组

工作内容：开工展布、水力冲挖、吸排泥、作业面转移及收工集合等。

(3)　Ⅲ类土

单位：$10000m^3$

项　　目	单位	排泥管线长度(m)					
		≤50	100	150	200	250	300
工　长	工时						
高级工	工时						
中级工	工时	15.2	16.8	19.3	21.2	24.2	28.1
初级工	工时	137.1	150.9	173.6	190.8	217.4	252.9
合　计	工时	152.3	167.7	192.9	212.0	241.6	281.0
零星材料费	%	2	2	2	2	2	2
高压水泵 22kW	台时	304.55	335.42	385.77	424.00	483.16	561.96
水枪 Φ65mm 2 支	组时	304.55	335.42	385.77	424.00	483.16	561.96
泥浆泵 22kW	台时	304.55	335.42	385.77	424.00	483.16	561.96
排泥管 Φ150mm	百米时	152.28	335.42	578.66	848.00	1207.90	1685.88
编　　号		81602	81603	81604	81605	81606	81607

2　100kW 组合泵

工作内容：1.水力冲挖机组开工展布、水力冲挖、吸排泥、作业面转移及收工集合。

2.修集浆池，加压泥浆泵排泥、淤区内作业面移位等作业及其他各种辅助作业。

(1)　Ⅰ类土

单位：10000m³

项　目	单位	排泥管线长度(m)				
		≤600	700	800	900	1000
工　长	工时	7.0	7.0	7.0	7.0	7.0
高级工	工时					
中级工	工时	31.0	31.4	31.8	32.2	32.6
初级工	工时	233.7	233.7	233.7	233.7	233.7
合　计	工时	271.7	272.1	272.5	272.9	273.3
零星材料费	%	3	3	3	3	3
高压水泵 22kW	台时	251.53	251.53	251.53	251.53	251.53
水枪 Φ65mm	台时	542.57	544.60	546.63	548.64	550.62
泥浆泵 22kW	台时	251.53	251.53	251.53	251.53	251.53
排泥管 Φ150mm	百米时	503.05	503.05	503.05	503.05	503.05
泥浆泵 100kW	台时	52.69	55.40	58.10	60.78	63.43
高压水泵 7.5kW	台时	39.52	41.55	43.58	45.59	47.57
排泥管 Φ300mm×4000mm	根时	7903.50	9399.21	10894.92	12390.63	13886.34
编　号		81608	81609	81610	81611	81612

续表

项　　目	单位	排泥管线长度(m)				
		1100	1200	1300	1400	1500
工　长	工时	7.0	7.0	7.0	7.0	7.0
高级工	工时					
中级工	工时	33.0	33.4	33.8	34.2	34.6
初级工	工时	233.7	233.7	233.7	233.7	233.7
合　计	工时	273.7	274.1	274.5	274.9	275.3
零星材料费	%	3	3	3	3	3
高压水泵 22kW	台时	251.53	251.53	251.53	251.53	251.53
水枪 Φ65mm	台时	552.60	554.54	556.46	558.33	560.18
泥浆泵 22kW	台时	251.53	251.53	251.53	251.53	251.53
排泥管 Φ150mm	百米时	503.05	503.05	503.05	503.05	503.05
泥浆泵 100kW	台时	66.06	68.65	71.21	73.71	76.17
高压水泵 7.5kW	台时	49.55	51.49	53.41	55.28	57.13
排泥管 Φ300mm×4000mm	根时	15382.05	16877.76	18373.47	19869.18	21364.89
编　　号		81613	81614	81615	81616	81617

续表

项　目	单位	排泥管线长度(m)				
		1600	1700	1800	1900	2000
工　长	工时	7.0	7.0	7.0	7.0	7.0
高级工	工时					
中级工	工时	35.0	35.4	35.8	36.2	36.6
初级工	工时	233.7	233.7	233.7	233.7	233.7
合　计	工时	275.7	276.1	276.5	276.9	277.3
零星材料费	%	3	3	3	3	3
高压水泵 22kW	台时	251.53	251.53	251.53	251.53	251.53
水枪 Φ65mm	台时	561.98	563.73	565.44	567.09	568.69
泥浆泵 22kW	台时	251.53	251.53	251.53	251.53	251.53
排泥管 Φ150mm	百米时	503.05	503.05	503.05	503.05	503.05
泥浆泵 100kW	台时	78.57	80.91	83.19	85.39	87.52
高压水泵 7.5kW	台时	58.93	60.68	62.39	64.04	65.64
排泥管 Φ300mm×4000mm	根时	22860.60	24356.31	25852.02	27347.73	28843.44
编　号		81618	81619	81620	81621	81622

续表

项目	单位	排泥管线长度(m)				
		2100	2200	2300	2400	2500
工长	工时	7.0	7.0	7.0	7.0	7.0
高级工	工时					
中级工	工时	37.0	37.4	37.8	38.2	38.6
初级工	工时	233.7	233.7	233.7	233.7	233.7
合计	工时	277.7	278.1	278.5	278.9	279.3
零星材料费	%	3	3	3	3	3
高压水泵 22kW	台时	251.53	251.53	251.53	251.53	251.53
水枪 Φ65mm	台时	570.23	571.71	573.12	574.48	576.56
泥浆泵 22kW	台时	251.53	251.53	251.53	251.53	251.53
排泥管 Φ150mm	百米时	503.05	503.05	503.05	503.05	503.05
泥浆泵 100kW	台时	89.57	91.55	93.43	95.24	98.01
高压水泵 7.5kW	台时	67.18	68.66	70.07	71.43	73.51
排泥管 Φ300mm×4000mm	根时	30339.15	31834.86	33330.57	34826.28	36321.99
编号		81623	81624	81625	81626	81627

续表

项　　目	单位	排泥管线长度(m)				
		2600	2700	2800	2900	3000
工　长	工时	7.0	7.0	7.0	7.0	7.0
高级工	工时					
中级工	工时	39.0	39.4	39.8	40.2	40.6
初级工	工时	233.7	233.7	233.7	233.7	233.7
合　计	工时	279.7	280.1	280.5	280.9	281.3
零星材料费	%	3	3	3	3	3
高压水泵 22kW	台时	251.53	251.53	251.53	251.53	251.53
水枪 Φ65mm	台时	577.86	579.35	580.83	582.30	583.76
泥浆泵 22kW	台时	251.53	251.53	251.53	251.53	251.53
排泥管 Φ150mm	百米时	503.05	503.05	503.05	503.05	503.05
泥浆泵 100kW	台时	99.75	101.73	103.70	105.66	107.61
高压水泵 7.5kW	台时	74.81	76.30	77.78	79.25	80.71
排泥管 Φ300mm×4000mm	根时	37817.70	39313.41	40809.12	42304.83	43800.54
编　　号		81628	81629	81630	81631	81632

续表

项目	单位	排泥管线长度(m)				
		3100	3200	3300	3400	3500
工长	工时	7.0	7.0	7.0	7.0	7.0
高级工	工时					
中级工	工时	41.0	41.4	41.8	42.2	42.6
初级工	工时	233.7	233.7	233.7	233.7	233.7
合计	工时	281.7	282.1	282.5	282.9	283.3
零星材料费	%	3	3	3	3	3
高压水泵 22kW	台时	251.53	251.53	251.53	251.53	251.53
水枪 Φ65mm	台时	585.21	586.66	588.10	589.53	590.96
泥浆泵 22kW	台时	251.53	251.53	251.53	251.53	251.53
排泥管 Φ150mm	百米时	503.05	503.05	503.05	503.05	503.05
泥浆泵 100kW	台时	109.55	111.48	113.40	115.31	117.21
高压水泵 7.5kW	台时	82.16	83.61	85.05	86.48	87.91
排泥管 Φ300mm×4000mm	根时	45296.25	46791.96	48287.67	49783.38	51279.09
编号		81633	81634	81635	81636	81637

续表

项　目	单位	排泥管线长度(m)				
		3600	3700	3800	3900	4000
工　长	工时	7.0	7.0	7.0	7.0	7.0
高级工	工时					
中级工	工时	43.0	43.4	43.8	44.2	44.6
初级工	工时	233.7	233.7	233.7	233.7	233.7
合　计	工时	283.7	284.1	284.5	284.9	285.3
零星材料费	%	3	3	3	3	3
高压水泵 22kW	台时	251.53	251.53	251.53	251.53	251.53
水枪 Φ65mm	台时	592.37	593.78	595.19	596.58	597.97
泥浆泵 22kW	台时	251.53	251.53	251.53	251.53	251.53
排泥管 Φ150mm	百米时	503.05	503.05	503.05	503.05	503.05
泥浆泵 100kW	台时	119.10	120.98	122.85	124.71	126.56
高压水泵 7.5kW	台时	89.32	90.73	92.14	93.53	94.92
排泥管 Φ300mm×4000mm	根时	52774.80	54270.51	55766.22	57261.93	58757.64
编　号		81638	81639	81640	81641	81642

续表

项目	单位	排泥管线长度(m)				
		4100	4200	4300	4400	4500
工长	工时	7.0	7.0	7.0	7.0	7.0
高级工	工时					
中级工	工时	45.0	45.4	45.8	46.2	46.6
初级工	工时	233.7	233.7	233.7	233.7	233.7
合计	工时	285.7	286.1	286.5	286.9	287.3
零星材料费	%	3	3	3	3	3
高压水泵 22kW	台时	251.53	251.53	251.53	251.53	251.53
水枪 Φ65mm	台时	599.35	600.72	602.09	603.45	604.80
泥浆泵 22kW	台时	251.53	251.53	251.53	251.53	251.53
排泥管 Φ150mm	百米时	503.05	503.05	503.05	503.05	503.05
泥浆泵 100kW	台时	128.40	130.23	132.05	133.86	135.66
高压水泵 7.5kW	台时	96.30	97.67	99.04	100.40	101.75
排泥管 Φ300mm×4000mm	根时	60253.35	61749.06	63244.77	64740.48	66236.19
编号		81643	81644	81645	81646	81647

续表

项目	单位	排泥管线长度(m)				
		4600	4700	4800	4900	5000
工长	工时	7.0	7.0	7.0	7.0	7.0
高级工	工时					
中级工	工时	47.0	47.4	47.8	48.2	48.6
初级工	工时	233.7	233.7	233.7	233.7	233.7
合计	工时	287.7	288.1	288.5	288.9	289.3
零星材料费	%	3	3	3	3	3
高压水泵 22kW	台时	251.53	251.53	251.53	251.53	251.53
水枪 Φ65mm	台时	606.14	607.47	608.80	610.12	611.43
泥浆泵 22kW	台时	251.53	251.53	251.53	251.53	251.53
排泥管 Φ150mm	百米时	503.05	503.05	503.05	503.05	503.05
泥浆泵 100kW	台时	137.45	139.23	141.00	142.76	144.51
高压水泵 7.5kW	台时	103.09	104.42	105.75	107.07	108.38
排泥管 Φ300mm×4000mm	根时	67731.90	69227.61	70723.32	72219.03	73714.74
编号		81648	81649	81650	81651	81652

续表

项　　目	单位	排泥管线长度(m)				
		5100	5200	5300	5400	5500
工　长	工时	7.0	7.0	7.0	7.0	7.0
高级工	工时					
中级工	工时	49.0	49.4	49.8	50.2	50.6
初级工	工时	233.7	233.7	233.7	233.7	233.7
合　计	工时	289.7	290.1	290.5	290.9	291.3
零星材料费	%	3	3	3	3	3
高压水泵 22kW	台时	251.53	251.53	251.53	251.53	251.53
水枪 Φ65mm	台时	612.92	614.40	615.87	617.33	618.78
泥浆泵 22kW	台时	251.53	251.53	251.53	251.53	251.53
排泥管 Φ150mm	百米时	503.05	503.05	503.05	503.05	503.05
泥浆泵 100kW	台时	146.49	148.46	150.42	152.37	154.31
高压水泵 7.5kW	台时	109.87	111.35	112.82	114.28	115.73
排泥管 Φ300mm×4000mm	根时	75210.45	76706.16	78201.87	79697.58	81193.29
编　　号		81653	81654	81655	81656	81657

续表

项　　目	单位	排泥管线长度(m)				
		5600	5700	5800	5900	6000
工　长	工时	7.0	7.0	7.0	7.0	7.0
高级工	工时					
中级工	工时	51.0	51.4	51.8	52.2	52.6
初级工	工时	233.7	233.7	233.7	233.7	233.7
合　计	工时	291.7	292.1	292.5	292.9	293.3
零星材料费	%	3	3	3	3	3
高压水泵 22kW	台时	251.53	251.53	251.53	251.53	251.53
水枪 Φ65mm	台时	620.23	621.67	623.10	624.53	625.95
泥浆泵 22kW	台时	251.53	251.53	251.53	251.53	251.53
排泥管 Φ150mm	百米时	503.05	503.05	503.05	503.05	503.05
泥浆泵 100kW	台时	156.24	158.16	160.07	161.97	163.86
高压水泵 7.5kW	台时	117.18	118.62	120.05	121.48	122.90
排泥管 Φ300mm×4000mm	根时	82689.00	84184.71	85680.42	87176.13	88671.84
编　　号		81658	81659	81660	81661	81662

续表

项目	单位	排泥管线长度(m)				
		6100	6200	6300	6400	6500
工　长	工时	7.0	7.0	7.0	7.0	7.0
高级工	工时					
中级工	工时	53.0	53.4	53.8	54.2	54.6
初级工	工时	233.7	233.7	233.7	233.7	233.7
合　计	工时	293.7	294.1	294.5	294.9	295.3
零星材料费	%	3	3	3	3	3
高压水泵 22kW	台时	251.53	251.53	251.53	251.53	251.53
水枪 Φ65mm	台时	627.36	628.76	630.15	631.54	632.92
泥浆泵 22kW	台时	251.53	251.53	251.53	251.53	251.53
排泥管 Φ150mm	百米时	503.05	503.05	503.05	503.05	503.05
泥浆泵 100kW	台时	165.74	167.61	169.47	171.32	173.16
高压水泵 7.5kW	台时	124.31	125.71	127.10	128.49	129.87
排泥管 Φ300mm×4000mm	根时	90167.55	91663.26	93158.97	94654.68	96150.39
编　号		81663	81664	81665	81666	81667

续表

项　目	单位	排泥管线长度(m)				
		6600	6700	6800	6900	7000
工　长	工时	7.0	7.0	7.0	7.0	7.0
高级工	工时					
中级工	工时	55.0	55.4	55.8	56.2	56.6
初级工	工时	233.7	233.7	233.7	233.7	233.7
合　计	工时	295.7	296.1	296.5	296.9	297.3
零星材料费	%	3	3	3	3	3
高压水泵 22kW	台时	251.53	251.53	251.53	251.53	251.53
水枪 Φ65mm	台时	634.29	635.66	637.02	638.37	639.71
泥浆泵 22kW	台时	251.53	251.53	251.53	251.53	251.53
排泥管 Φ150mm	百米时	503.05	503.05	503.05	503.05	503.05
泥浆泵 100kW	台时	174.99	176.81	178.62	180.42	182.21
高压水泵 7.5kW	台时	131.24	132.61	133.97	135.32	136.66
排泥管 Φ300mm × 4000mm	根时	97646.10	99141.81	100637.52	102133.23	103628.94
编　号		81668	81669	81670	81671	81672

续表

项目	单位	排泥管线长度(m)				
		7100	7200	7300	7400	7500
工长	工时	7.0	7.0	7.0	7.0	7.0
高级工	工时					
中级工	工时	57.0	57.4	57.8	58.2	58.6
初级工	工时	233.7	233.7	233.7	233.7	233.7
合计	工时	297.7	298.1	298.5	298.9	299.3
零星材料费	%	3	3	3	3	3
高压水泵 22kW	台时	251.53	251.53	251.53	251.53	251.53
水枪 Φ65mm	台时	641.04	642.37	643.69	645.00	646.35
泥浆泵 22kW	台时	251.53	251.53	251.53	251.53	251.53
排泥管 Φ150mm	百米时	503.05	503.05	503.05	503.05	503.05
泥浆泵 100kW	台时	183.99	185.76	187.52	189.27	191.06
高压水泵 7.5kW	台时	137.99	139.32	140.64	141.95	143.30
排泥管 Φ300mm×4000mm	根时	105124.65	106620.36	108116.07	109611.78	111107.49
编号		81673	81674	81675	81676	81677

续表

项目	单位	排泥管线长度(m)				
		7600	7700	7800	7900	8000
工长	工时	7.0	7.0	7.0	7.0	7.0
高级工	工时					
中级工	工时	59.0	59.4	59.8	60.2	60.6
初级工	工时	233.7	233.7	233.7	233.7	233.7
合计	工时	299.7	300.1	300.5	300.9	301.3
零星材料费	%	3	3	3	3	3
高压水泵 22kW	台时	251.53	251.53	251.53	251.53	251.53
水枪 Φ65mm	台时	647.83	649.31	650.78	652.24	653.70
泥浆泵 22kW	台时	251.53	251.53	251.53	251.53	251.53
排泥管 Φ150mm	百米时	503.05	503.05	503.05	503.05	503.05
泥浆泵 100kW	台时	193.04	195.01	196.97	198.92	200.86
高压水泵 7.5kW	台时	144.78	146.26	147.73	149.19	150.65
排泥管 Φ300mm×4000mm	根时	112603.20	114098.91	115594.62	117090.33	118586.04
编号		81678	81679	81680	81681	81682

续表

项　　目	单位	排泥管线长度(m)				
		8100	8200	8300	8400	8500
工　长	工时	7.0	7.0	7.0	7.0	7.0
高级工	工时					
中级工	工时	61.0	61.4	61.8	62.2	62.6
初级工	工时	233.7	233.7	233.7	233.7	233.7
合　计	工时	301.7	302.1	302.5	302.9	303.3
零星材料费	%	3	3	3	3	3
高压水泵 22kW	台时	251.53	251.53	251.53	251.53	251.53
水枪 Φ65mm	台时	655.14	656.58	658.02	659.44	660.86
泥浆泵 22kW	台时	251.53	251.53	251.53	251.53	251.53
排泥管 Φ150mm	百米时	503.05	503.05	503.05	503.05	503.05
泥浆泵 100kW	台时	202.79	204.71	206.62	208.52	210.41
高压水泵 7.5kW	台时	152.09	153.53	154.97	156.39	157.81
排泥管 Φ300mm×4000mm	根时	120081.75	121577.46	123073.17	124568.88	126064.59
编　　号		81683	81684	81685	81686	81687

续表

项目	单位	排泥管线长度(m)				
		8600	8700	8800	8900	9000
工长	工时	7.0	7.0	7.0	7.0	7.0
高级工	工时					
中级工	工时	63.0	63.4	63.8	64.2	64.6
初级工	工时	233.7	233.7	233.7	233.7	233.7
合计	工时	303.7	304.1	304.5	304.9	305.3
零星材料费	%	3	3	3	3	3
高压水泵 22kW	台时	251.53	251.53	251.53	251.53	251.53
水枪 Φ65mm	台时	662.27	663.67	665.07	666.45	667.83
泥浆泵 22kW	台时	251.53	251.53	251.53	251.53	251.53
排泥管 Φ150mm	百米时	503.05	503.05	503.05	503.05	503.05
泥浆泵 100kW	台时	212.29	214.16	216.02	217.87	219.71
高压水泵 7.5kW	台时	159.22	160.62	162.02	163.40	164.78
排泥管 Φ300mm×4000mm	根时	127560.30	129056.01	130551.72	132047.43	133543.14
编号		81688	81689	81690	81691	81692

续表

项　目	单位	排泥管线长度(m)				
		9100	9200	9300	9400	9500
工　长	工时	7.0	7.0	7.0	7.0	7.0
高级工	工时					
中级工	工时	65.0	65.4	65.8	66.2	66.6
初级工	工时	233.7	233.7	233.7	233.7	233.7
合　计	工时	305.7	306.1	306.5	306.9	307.3
零星材料费	%	3	3	3	3	3
高压水泵 22kW	台时	251.53	251.53	251.53	251.53	251.53
水枪 Φ65mm	台时	669.21	670.57	671.93	673.28	674.62
泥浆泵 22kW	台时	251.53	251.53	251.53	251.53	251.53
排泥管 Φ150mm	百米时	503.05	503.05	503.05	503.05	503.05
泥浆泵 100kW	台时	221.54	223.36	225.17	226.97	228.76
高压水泵 7.5kW	台时	166.16	167.52	168.88	170.23	171.57
排泥管 Φ300mm×4000mm	根时	135038.85	136534.56	138030.27	139525.98	141021.69
编　号		81693	81694	81695	81696	81697

续表

项目	单位	排泥管线长度(m)				
		9600	9700	9800	9900	10000
工长	工时	7.0	7.0	7.0	7.0	7.0
高级工	工时					
中级工	工时	67.0	67.4	67.8	68.2	68.6
初级工	工时	233.7	233.7	233.7	233.7	233.7
合计	工时	307.7	308.1	308.5	308.9	309.3
零星材料费	%	3	3	3	3	3
高压水泵 22kW	台时	251.53	251.53	251.53	251.53	251.53
水枪 Φ65mm	台时	675.96	677.28	678.60	679.92	681.25
泥浆泵 22kW	台时	251.53	251.53	251.53	251.53	251.53
排泥管 Φ150mm	百米时	503.05	503.05	503.05	503.05	503.05
泥浆泵 100kW	台时	230.54	232.31	234.07	235.82	237.60
高压水泵 7.5kW	台时	172.91	174.23	175.55	176.87	178.20
排泥管 Φ300mm×4000mm	根时	142517.40	144013.11	145508.82	147004.53	148500.00
编号		81698	81699	81700	81701	81702

续表

项　　目	单位	排泥管线长度(m)				
		10100	10200	10300	10400	10500
工　长	工时	7.0	7.0	7.0	7.0	7.0
高级工	工时					
中级工	工时	69.0	69.4	69.8	70.2	70.6
初级工	工时	233.7	233.7	233.7	233.7	233.7
合　计	工时	309.7	310.1	310.5	310.9	311.3
零星材料费	%	3	3	3	3	3
高压水泵 22kW	台时	251.53	251.53	251.53	251.53	251.53
水枪 Φ65mm	台时	682.58	683.91	685.24	686.57	687.90
泥浆泵 22kW	台时	251.53	251.53	251.53	251.53	251.53
排泥管 Φ150mm	百米时	503.05	503.05	503.05	503.05	503.05
泥浆泵 100kW	台时	239.38	241.16	242.94	244.72	246.50
高压水泵 7.5kW	台时	179.53	180.86	182.19	183.52	184.85
排泥管 Φ300mm×4000mm	根时	149995.47	151490.94	152986.41	154481.88	155977.35
编　　号		81703	81704	81705	81706	81707

续表

项　　目	单位	排泥管线长度(m)				
		10600	10700	10800	10900	11000
工　长	工时	7.0	7.0	7.0	7.0	7.0
高级工	工时					
中级工	工时	71.0	71.4	71.8	72.2	72.6
初级工	工时	233.7	233.7	233.7	233.7	233.7
合　计	工时	311.7	312.1	312.5	312.9	313.3
零星材料费	%	3	3	3	3	3
高压水泵 22kW	台时	251.53	251.53	251.53	251.53	251.53
水枪 Φ65mm	台时	689.23	690.56	691.89	693.22	694.55
泥浆泵 22kW	台时	251.53	251.53	251.53	251.53	251.53
排泥管 Φ150mm	百米时	503.05	503.05	503.05	503.05	503.05
泥浆泵 100kW	台时	248.28	250.06	251.84	253.62	255.40
高压水泵 7.5kW	台时	186.18	187.51	188.84	190.17	191.50
排泥管 Φ300mm×4000mm	根时	157472.82	158968.29	160463.76	161959.23	163454.70
编　　号		81708	81709	81710	81711	81712

续表

项目	单位	排泥管线长度(m)				
		11100	11200	11300	11400	11500
工长	工时	7.0	7.0	7.0	7.0	7.0
高级工	工时					
中级工	工时	73.0	73.4	73.8	74.2	74.6
初级工	工时	233.7	233.7	233.7	233.7	233.7
合计	工时	313.7	314.1	314.5	314.9	315.3
零星材料费	%	3	3	3	3	3
高压水泵 22kW	台时	251.53	251.53	251.53	251.53	251.53
水枪 Φ65mm	台时	695.88	697.21	698.54	699.87	701.20
泥浆泵 22kW	台时	251.53	251.53	251.53	251.53	251.53
排泥管 Φ150mm	百米时	503.05	503.05	503.05	503.05	503.05
泥浆泵 100kW	台时	257.18	258.96	260.74	262.52	264.30
高压水泵 7.5kW	台时	192.83	194.16	195.49	196.82	198.15
排泥管 Φ300mm×4000mm	根时	164950.17	166445.64	167941.11	169436.58	170932.05
编号		81713	81714	81715	81716	81717

续表

项目	单位	排泥管线长度(m)				
		11600	11700	11800	11900	12000
工长	工时	7.0	7.0	7.0	7.0	7.0
高级工	工时					
中级工	工时	75.0	75.4	75.8	76.2	76.6
初级工	工时	233.7	233.7	233.7	233.7	233.7
合计	工时	315.7	316.1	316.5	316.9	317.3
零星材料费	%	3	3	3	3	3
高压水泵 22kW	台时	251.53	251.53	251.53	251.53	251.53
水枪 Φ65mm	台时	702.53	703.86	705.19	706.52	707.85
泥浆泵 22kW	台时	251.53	251.53	251.53	251.53	251.53
排泥管 Φ150mm	百米时	503.05	503.05	503.05	503.05	503.05
泥浆泵 100kW	台时	266.08	267.86	269.64	271.42	273.20
高压水泵 7.5kW	台时	199.48	200.81	202.14	203.47	204.80
排泥管 Φ300mm×4000mm	根时	172427.52	173922.99	175418.46	176913.93	178409.40
编号		81718	81719	81720	81721	81722

2 100kW 组合泵

工作内容：1.水力冲挖机组开工展布、水力冲挖、吸排泥、作业面转移及收工集合。

2.修集浆池，加压泥浆泵排泥、淤区内作业面移位等作业及其他各种辅助作业。

(2) Ⅱ类土

单位：$10000m^3$

项目	单位	排泥管线长度(m)				
		≤600	700	800	900	1000
工长	工时	7.0	7.0	7.0	7.0	7.0
高级工	工时					
中级工	工时	34.5	34.9	35.3	35.7	36.1
初级工	工时	265.4	265.4	265.4	265.4	265.4
合计	工时	306.9	307.3	307.7	308.1	308.5
零星材料费	%	3	3	3	3	3
高压水泵 22kW	台时	321.95	321.95	321.95	321.95	321.95
水枪 Φ65mm	台时	683.42	685.45	687.48	689.49	691.47
泥浆泵 22kW	台时	321.95	321.95	321.95	321.95	321.95
排泥管 Φ150mm	百米时	643.90	643.90	643.90	643.90	643.90
泥浆泵 100kW	台时	52.69	55.40	58.10	60.78	63.43
高压水泵 7.5kW	台时	39.52	41.55	43.58	45.59	47.57
排泥管 Φ300mm×4000mm	根时	7903.50	9399.21	10894.92	12390.63	13886.34
编号		81723	81724	81725	81726	81727

续表

项目	单位	排泥管线长度(m)				
		1100	1200	1300	1400	1500
工长	工时	7.0	7.0	7.0	7.0	7.0
高级工	工时					
中级工	工时	36.5	36.9	37.3	37.7	38.1
初级工	工时	265.4	265.4	265.4	265.4	265.4
合计	工时	308.9	309.3	309.7	310.1	310.5
零星材料费	%	3	3	3	3	3
高压水泵 22kW	台时	321.95	321.95	321.95	321.95	321.95
水枪 Φ65mm	台时	693.45	695.39	697.31	699.18	701.03
泥浆泵 22kW	台时	321.95	321.95	321.95	321.95	321.95
排泥管 Φ150mm	百米时	643.90	643.90	643.90	643.90	643.90
泥浆泵 100kW	台时	66.06	68.65	71.21	73.71	76.17
高压水泵 7.5kW	台时	49.55	51.49	53.41	55.28	57.13
排泥管 Φ300mm×4000mm	根时	15382.05	16877.76	18373.47	19869.18	21364.89
编号		81728	81729	81730	81731	81732

续表

项　　目	单位	排泥管线长度(m)				
		1600	1700	1800	1900	2000
工　长	工时	7.0	7.0	7.0	7.0	7.0
高级工	工时					
中级工	工时	38.5	38.9	39.3	39.7	40.1
初级工	工时	265.4	265.4	265.4	265.4	265.4
合　计	工时	310.9	311.3	311.7	312.1	312.5
零星材料费	%	3	3	3	3	3
高压水泵 22kW	台时	321.95	321.95	321.95	321.95	321.95
水枪 Φ65mm	台时	702.83	704.58	706.29	707.94	709.54
泥浆泵 22kW	台时	321.95	321.95	321.95	321.95	321.95
排泥管 Φ150mm	百米时	643.90	643.90	643.90	643.90	643.90
泥浆泵 100kW	台时	78.57	80.91	83.19	85.39	87.52
高压水泵 7.5kW	台时	58.93	60.68	62.39	64.04	65.64
排泥管 Φ300mm×4000mm	根时	22860.60	24356.31	25852.02	27347.73	28843.44
编　　号		81733	81734	81735	81736	81737

续表

项目	单位	排泥管线长度(m)				
		2100	2200	2300	2400	2500
工长	工时	7.0	7.0	7.0	7.0	7.0
高级工	工时					
中级工	工时	40.5	40.9	41.3	41.7	42.1
初级工	工时	265.4	265.4	265.4	265.4	265.4
合计	工时	312.9	313.3	313.7	314.1	314.5
零星材料费	%	3	3	3	3	3
高压水泵 22kW	台时	321.95	321.95	321.95	321.95	321.95
水枪 Φ65mm	台时	711.08	712.56	713.97	715.33	717.41
泥浆泵 22kW	台时	321.95	321.95	321.95	321.95	321.95
排泥管 Φ150mm	百米时	643.90	643.90	643.90	643.90	643.90
泥浆泵 100kW	台时	89.57	91.55	93.43	95.24	98.01
高压水泵 7.5kW	台时	67.18	68.66	70.07	71.43	73.51
排泥管 Φ300mm×4000mm	根时	30339.15	31834.86	33330.57	34826.28	36321.99
编号		81738	81739	81740	81741	81742

续表

项目	单位	排泥管线长度(m)				
		2600	2700	2800	2900	3000
工长	工时	7.0	7.0	7.0	7.0	7.0
高级工	工时					
中级工	工时	42.5	42.9	43.3	43.7	44.1
初级工	工时	265.4	265.4	265.4	265.4	265.4
合计	工时	314.9	315.3	315.7	316.1	316.5
零星材料费	%	3	3	3	3	3
高压水泵 22kW	台时	321.95	321.95	321.95	321.95	321.95
水枪 Φ65mm	台时	718.71	720.20	721.68	723.15	724.61
泥浆泵 22kW	台时	321.95	321.95	321.95	321.95	321.95
排泥管 Φ150mm	百米时	643.90	643.90	643.90	643.90	643.90
泥浆泵 100kW	台时	99.75	101.73	103.70	105.66	107.61
高压水泵 7.5kW	台时	74.81	76.30	77.78	79.25	80.71
排泥管 Φ300mm×4000mm	根时	37817.70	39313.41	40809.12	42304.83	43800.54
编号		81743	81744	81745	81746	81747

续表

项目	单位	排泥管线长度(m)				
		3100	3200	3300	3400	3500
工长	工时	7.0	7.0	7.0	7.0	7.0
高级工	工时					
中级工	工时	44.5	44.9	45.3	45.7	46.1
初级工	工时	265.4	265.4	265.4	265.4	265.4
合计	工时	316.9	317.3	317.7	318.1	318.5
零星材料费	%	3	3	3	3	3
高压水泵 22kW	台时	321.95	321.95	321.95	321.95	321.95
水枪 Φ65mm	台时	726.06	727.51	728.95	730.38	731.81
泥浆泵 22kW	台时	321.95	321.95	321.95	321.95	321.95
排泥管 Φ150mm	百米时	643.90	643.90	643.90	643.90	643.90
泥浆泵 100kW	台时	109.55	111.48	113.40	115.31	117.21
高压水泵 7.5kW	台时	82.16	83.61	85.05	86.48	87.91
排泥管 Φ300mm×4000mm	根时	45296.25	46791.96	48287.67	49783.38	51279.09
编号		81748	81749	81750	81751	81752

续表

项目	单位	排泥管线长度(m)				
		3600	3700	3800	3900	4000
工长	工时	7.0	7.0	7.0	7.0	7.0
高级工	工时					
中级工	工时	46.5	46.9	47.3	47.7	48.1
初级工	工时	265.4	265.4	265.4	265.4	265.4
合计	工时	318.9	319.3	319.7	320.1	320.5
零星材料费	%	3	3	3	3	3
高压水泵 22kW	台时	321.95	321.95	321.95	321.95	321.95
水枪 Φ65mm	台时	733.22	734.63	736.04	737.43	738.82
泥浆泵 22kW	台时	321.95	321.95	321.95	321.95	321.95
排泥管 Φ150mm	百米时	643.90	643.90	643.90	643.90	643.90
泥浆泵 100kW	台时	119.10	120.98	122.85	124.71	126.56
高压水泵 7.5kW	台时	89.32	90.73	92.14	93.53	94.92
排泥管 Φ300mm×4000mm	根时	52774.80	54270.51	55766.22	57261.93	58757.64
编号		81753	81754	81755	81756	81757

续表

项　　目	单位	排泥管线长度(m)				
		4100	4200	4300	4400	4500
工　长	工时	7.0	7.0	7.0	7.0	7.0
高级工	工时					
中级工	工时	48.5	48.9	49.3	49.7	50.1
初级工	工时	265.4	265.4	265.4	265.4	265.4
合　计	工时	320.9	321.3	321.7	322.1	322.5
零星材料费	%	3	3	3	3	3
高压水泵 22kW	台时	321.95	321.95	321.95	321.95	321.95
水枪 Φ65mm	台时	740.20	741.57	742.94	744.30	745.65
泥浆泵 22kW	台时	321.95	321.95	321.95	321.95	321.95
排泥管 Φ150mm	百米时	643.90	643.90	643.90	643.90	643.90
泥浆泵 100kW	台时	128.40	130.23	132.05	133.86	135.66
高压水泵 7.5kW	台时	96.30	97.67	99.04	100.40	101.75
排泥管 Φ300mm × 4000mm	根时	60253.35	61749.06	63244.77	64740.48	66236.19
编　　号		81758	81759	81760	81761	81762

续表

项目	单位	排泥管线长度(m)				
		4600	4700	4800	4900	5000
工　长	工时	7.0	7.0	7.0	7.0	7.0
高级工	工时					
中级工	工时	50.5	50.9	51.3	51.7	52.1
初级工	工时	265.4	265.4	265.4	265.4	265.4
合　计	工时	322.9	323.3	323.7	324.1	324.5
零星材料费	%	3	3	3	3	3
高压水泵 22kW	台时	321.95	321.95	321.95	321.95	321.95
水枪 Φ65mm	台时	746.99	748.32	749.65	750.97	752.28
泥浆泵 22kW	台时	321.95	321.95	321.95	321.95	321.95
排泥管 Φ150mm	百米时	643.90	643.90	643.90	643.90	643.90
泥浆泵 100kW	台时	137.45	139.23	141.00	142.76	144.51
高压水泵 7.5kW	台时	103.09	104.42	105.75	107.07	108.38
排泥管 Φ300mm×4000mm	根时	67731.90	69227.61	70723.32	72219.03	73714.74
编　号		81763	81764	81765	81766	81767

续表

项　　目	单位	排泥管线长度(m)				
		5100	5200	5300	5400	5500
工　长	工时	7.0	7.0	7.0	7.0	7.0
高级工	工时					
中级工	工时	52.5	52.9	53.3	53.7	54.1
初级工	工时	265.4	265.4	265.4	265.4	265.4
合　计	工时	324.9	325.3	325.7	326.1	326.5
零星材料费	%	3	3	3	3	3
高压水泵 22kW	台时	321.95	321.95	321.95	321.95	321.95
水枪 Φ65mm	台时	753.77	755.25	756.72	758.18	759.63
泥浆泵 22kW	台时	321.95	321.95	321.95	321.95	321.95
排泥管 Φ150mm	百米时	643.90	643.90	643.90	643.90	643.90
泥浆泵 100kW	台时	146.49	148.46	150.42	152.37	154.31
高压水泵 7.5kW	台时	109.87	111.35	112.82	114.28	115.73
排泥管 Φ300mm×4000mm	根时	75210.45	76706.16	78201.87	79697.58	81193.29
编　　号		81768	81769	81770	81771	81772

续表

项目	单位	排泥管线长度(m)				
		5600	5700	5800	5900	6000
工长	工时	7.0	7.0	7.0	7.0	7.0
高级工	工时					
中级工	工时	54.5	54.9	55.3	55.7	56.1
初级工	工时	265.4	265.4	265.4	265.4	265.4
合计	工时	326.9	327.3	327.7	328.1	328.5
零星材料费	%	3	3	3	3	3
高压水泵 22kW	台时	321.95	321.95	321.95	321.95	321.95
水枪 Φ65mm	台时	761.08	762.52	763.95	765.38	766.80
泥浆泵 22kW	台时	321.95	321.95	321.95	321.95	321.95
排泥管 Φ150mm	百米时	643.90	643.90	643.90	643.90	643.90
泥浆泵 100kW	台时	156.24	158.16	160.07	161.97	163.86
高压水泵 7.5kW	台时	117.18	118.62	120.05	121.48	122.90
排泥管 Φ300mm×4000mm	根时	82689.00	84184.71	85680.42	87176.13	88671.84
编号		81773	81774	81775	81776	81777

续表

项目	单位	排泥管线长度(m)				
		6100	6200	6300	6400	6500
工　长	工时	7.0	7.0	7.0	7.0	7.0
高级工	工时					
中级工	工时	56.5	56.9	57.3	57.7	58.1
初级工	工时	265.4	265.4	265.4	265.4	265.4
合　计	工时	328.9	329.3	329.7	330.1	330.5
零星材料费	%	3	3	3	3	3
高压水泵 22kW	台时	321.95	321.95	321.95	321.95	321.95
水枪 Φ65mm	台时	768.21	769.61	771.00	772.39	773.77
泥浆泵 22kW	台时	321.95	321.95	321.95	321.95	321.95
排泥管 Φ150mm	百米时	643.90	643.90	643.90	643.90	643.90
泥浆泵 100kW	台时	165.74	167.61	169.47	171.32	173.16
高压水泵 7.5kW	台时	124.31	125.71	127.10	128.49	129.87
排泥管 Φ300mm×4000mm	根时	90167.55	91663.26	93158.97	94654.68	96150.39
编号		81778	81779	81780	81781	81782

续表

项目	单位	排泥管线长度(m)				
		6600	6700	6800	6900	7000
工长	工时	7.0	7.0	7.0	7.0	7.0
高级工	工时					
中级工	工时	58.5	58.9	59.3	59.7	60.1
初级工	工时	265.4	265.4	265.4	265.4	265.4
合计	工时	330.9	331.3	331.7	332.1	332.5
零星材料费	%	3	3	3	3	3
高压水泵 22kW	台时	321.95	321.95	321.95	321.95	321.95
水枪 Φ65mm	台时	775.14	776.51	777.87	779.22	780.56
泥浆泵 22kW	台时	321.95	321.95	321.95	321.95	321.95
排泥管 Φ150mm	百米时	643.90	643.90	643.90	643.90	643.90
泥浆泵 100kW	台时	174.99	176.81	178.62	180.42	182.21
高压水泵 7.5kW	台时	131.24	132.61	133.97	135.32	136.66
排泥管 Φ300mm×4000mm	根时	97646.10	99141.81	100637.52	102133.23	103628.94
编号		81783	81784	81785	81786	81787

续表

项　　目	单位	排泥管线长度(m)				
		7100	7200	7300	7400	7500
工　长	工时	7.0	7.0	7.0	7.0	7.0
高级工	工时					
中级工	工时	60.5	60.9	61.3	61.7	62.1
初级工	工时	265.4	265.4	265.4	265.4	265.4
合　计	工时	332.9	333.3	333.7	334.1	334.5
零星材料费	%	3	3	3	3	3
高压水泵 22kW	台时	321.95	321.95	321.95	321.95	321.95
水枪 Φ65mm	台时	781.89	783.22	784.54	785.85	787.20
泥浆泵 22kW	台时	321.95	321.95	321.95	321.95	321.95
排泥管 Φ150mm	百米时	643.90	643.90	643.90	643.90	643.90
泥浆泵 100kW	台时	183.99	185.76	187.52	189.27	191.06
高压水泵 7.5kW	台时	137.99	139.32	140.64	141.95	143.30
排泥管 Φ300mm×4000mm	根时	105124.65	106620.36	108116.07	109611.78	111107.49
编　　号		81788	81789	81790	81791	81792

续表

项目	单位	排泥管线长度(m)				
		7600	7700	7800	7900	8000
工长	工时	7.0	7.0	7.0	7.0	7.0
高级工	工时					
中级工	工时	62.5	62.9	63.3	63.7	64.1
初级工	工时	265.4	265.4	265.4	265.4	265.4
合计	工时	334.9	335.3	335.7	336.1	336.5
零星材料费	%	3	3	3	3	3
高压水泵 22kW	台时	321.95	321.95	321.95	321.95	321.95
水枪 Φ65mm	台时	788.68	790.16	791.63	793.09	794.55
泥浆泵 22kW	台时	321.95	321.95	321.95	321.95	321.95
排泥管 Φ150mm	百米时	643.90	643.90	643.90	643.90	643.90
泥浆泵 100kW	台时	193.04	195.01	196.97	198.92	200.86
高压水泵 7.5kW	台时	144.78	146.26	147.73	149.19	150.65
排泥管 Φ300mm×4000mm	根时	112603.20	114098.91	115594.62	117090.33	118586.04
编号		81793	81794	81795	81796	81797

续表

项　　目	单位	排泥管线长度(m)				
		8100	8200	8300	8400	8500
工　长	工时	7.0	7.0	7.0	7.0	7.0
高级工	工时					
中级工	工时	64.5	64.9	65.3	65.7	66.1
初级工	工时	265.4	265.4	265.4	265.4	265.4
合　计	工时	336.9	337.3	337.7	338.1	338.5
零星材料费	%	3	3	3	3	3
高压水泵 22kW	台时	321.95	321.95	321.95	321.95	321.95
水枪 Φ65mm	台时	795.99	797.43	798.87	800.29	801.71
泥浆泵 22kW	台时	321.95	321.95	321.95	321.95	321.95
排泥管 Φ150mm	百米时	643.90	643.90	643.90	643.90	643.90
泥浆泵 100kW	台时	202.79	204.71	206.62	208.52	210.41
高压水泵 7.5kW	台时	152.09	153.53	154.97	156.39	157.81
排泥管 Φ300mm×4000mm	根时	120081.75	121577.46	123073.17	124568.88	126064.59
编　　号		81798	81799	81800	81801	81802

续表

项目	单位	排泥管线长度(m)				
		8600	8700	8800	8900	9000
工长	工时	7.0	7.0	7.0	7.0	7.0
高级工	工时					
中级工	工时	66.5	66.9	67.3	67.7	68.1
初级工	工时	265.4	265.4	265.4	265.4	265.4
合计	工时	338.9	339.3	339.7	340.1	340.5
零星材料费	%	3	3	3	3	3
高压水泵 22kW	台时	321.95	321.95	321.95	321.95	321.95
水枪 Φ65mm	台时	803.12	804.52	805.92	807.30	808.68
泥浆泵 22kW	台时	321.95	321.95	321.95	321.95	321.95
排泥管 Φ150mm	百米时	643.90	643.90	643.90	643.90	643.90
泥浆泵 100kW	台时	212.29	214.16	216.02	217.87	219.71
高压水泵 7.5kW	台时	159.22	160.62	162.02	163.40	164.78
排泥管 Φ300mm×4000mm	根时	127560.30	129056.01	130551.72	132047.43	133543.14
编号		81803	81804	81805	81806	81807

续表

项目	单位	排泥管线长度(m)				
		9100	9200	9300	9400	9500
工长	工时	7.0	7.0	7.0	7.0	7.0
高级工	工时					
中级工	工时	68.5	68.9	69.3	69.7	70.1
初级工	工时	265.4	265.4	265.4	265.4	265.4
合计	工时	340.9	341.3	341.7	342.1	342.5
零星材料费	%	3	3	3	3	3
高压水泵 22kW	台时	321.95	321.95	321.95	321.95	321.95
水枪 Φ65mm	台时	810.06	811.42	812.78	814.13	815.47
泥浆泵 22kW	台时	321.95	321.95	321.95	321.95	321.95
排泥管 Φ150mm	百米时	643.90	643.90	643.90	643.90	643.90
泥浆泵 100kW	台时	221.54	223.36	225.17	226.97	228.76
高压水泵 7.5kW	台时	166.16	167.52	168.88	170.23	171.57
排泥管 Φ300mm×4000mm	根时	135038.85	136534.56	138030.27	139525.98	141021.69
编号		81808	81809	81810	81811	81812

续表

项　目	单位	排泥管线长度(m)				
		9600	9700	9800	9900	10000
工　长	工时	7.0	7.0	7.0	7.0	7.0
高级工	工时					
中级工	工时	70.5	70.9	71.3	71.7	72.1
初级工	工时	265.4	265.4	265.4	265.4	265.4
合　计	工时	342.9	343.3	343.7	344.1	344.5
零星材料费	%	3	3	3	3	3
高压水泵 22kW	台时	321.95	321.95	321.95	321.95	321.95
水枪 Φ65mm	台时	816.81	818.13	819.45	820.77	822.10
泥浆泵 22kW	台时	321.95	321.95	321.95	321.95	321.95
排泥管 Φ150mm	百米时	643.90	643.90	643.90	643.90	643.90
泥浆泵 100kW	台时	230.54	232.31	234.07	235.82	237.60
高压水泵 7.5kW	台时	172.91	174.23	175.55	176.87	178.20
排泥管 Φ300mm×4000mm	根时	142517.40	144013.11	145508.82	147004.53	148500.00
编　号		81813	81814	81815	81816	81817

续表

项目	单位	排泥管线长度(m)				
		10100	10200	10300	10400	10500
工长	工时	7.0	7.0	7.0	7.0	7.0
高级工	工时					
中级工	工时	72.5	72.9	73.3	73.7	74.1
初级工	工时	265.4	265.4	265.4	265.4	265.4
合计	工时	344.9	345.3	345.7	346.1	346.5
零星材料费	%	3	3	3	3	3
高压水泵 22kW	台时	321.95	321.95	321.95	321.95	321.95
水枪 Φ65mm	台时	823.43	824.76	826.09	827.42	828.75
泥浆泵 22kW	台时	321.95	321.95	321.95	321.95	321.95
排泥管 Φ150mm	百米时	643.90	643.90	643.90	643.90	643.90
泥浆泵 100kW	台时	239.38	241.16	242.94	244.72	246.50
高压水泵 7.5kW	台时	179.53	180.86	182.19	183.52	184.85
排泥管 Φ300mm×4000mm	根时	149995.47	151490.94	152986.41	154481.88	155977.35
编号		81818	81819	81820	81821	81822

续表

项　　目	单位	排泥管线长度(m)				
		10600	10700	10800	10900	11000
工　长	工时	7.0	7.0	7.0	7.0	7.0
高级工	工时					
中级工	工时	74.5	74.9	75.3	75.7	76.1
初级工	工时	265.4	265.4	265.4	265.4	265.4
合　计	工时	346.9	347.3	347.7	348.1	348.5
零星材料费	%	3	3	3	3	3
高压水泵 22kW	台时	321.95	321.95	321.95	321.95	321.95
水枪 Φ65mm	台时	830.08	831.41	832.74	834.07	835.40
泥浆泵 22kW	台时	321.95	321.95	321.95	321.95	321.95
排泥管 Φ150mm	百米时	643.90	643.90	643.90	643.90	643.90
泥浆泵 100kW	台时	248.28	250.06	251.84	253.62	255.40
高压水泵 7.5kW	台时	186.18	187.51	188.84	190.17	191.50
排泥管 Φ300mm×4000mm	根时	157472.82	158968.29	160463.76	161959.23	163454.70
编　　号		81823	81824	81825	81826	81827

续表

项　　目	单位	排泥管线长度(m)				
		11100	11200	11300	11400	11500
工　长	工时	7.0	7.0	7.0	7.0	7.0
高级工	工时					
中级工	工时	76.5	76.9	77.3	77.7	78.1
初级工	工时	265.4	265.4	265.4	265.4	265.4
合　计	工时	348.9	349.3	349.7	350.1	350.5
零星材料费	%	3	3	3	3	3
高压水泵 22kW	台时	321.95	321.95	321.95	321.95	321.95
水枪 Φ65mm	台时	836.73	838.06	839.39	840.72	842.05
泥浆泵 22kW	台时	321.95	321.95	321.95	321.95	321.95
排泥管 Φ150mm	百米时	643.90	643.90	643.90	643.90	643.90
泥浆泵 100kW	台时	257.18	258.96	260.74	262.52	264.30
高压水泵 7.5kW	台时	192.83	194.16	195.49	196.82	198.15
排泥管 Φ300mm×4000mm	根时	164950.17	166445.64	167941.11	169436.58	170932.05
编　　号		81828	81829	81830	81831	81832

续表

项目	单位	排泥管线长度(m)				
		11600	11700	11800	11900	12000
工长	工时	7.0	7.0	7.0	7.0	7.0
高级工	工时					
中级工	工时	78.5	78.9	79.3	79.7	80.1
初级工	工时	265.4	265.4	265.4	265.4	265.4
合计	工时	350.9	351.3	351.7	352.1	352.5
零星材料费	%	3	3	3	3	3
高压水泵 22kW	台时	321.95	321.95	321.95	321.95	321.95
水枪 Φ65mm	台时	843.38	844.71	846.04	847.37	848.70
泥浆泵 22kW	台时	321.95	321.95	321.95	321.95	321.95
排泥管 Φ150mm	百米时	643.90	643.90	643.90	643.90	643.90
泥浆泵 100kW	台时	266.08	267.86	269.64	271.42	273.20
高压水泵 7.5kW	台时	199.48	200.81	202.14	203.47	204.80
排泥管 Φ300mm×4000mm	根时	172427.52	173922.99	175418.46	176913.93	178409.40
编号		81833	81834	81835	81836	81837

2　100kW 组合泵

工作内容：1.水力冲挖机组开工展布、水力冲挖、吸排泥、作业面转移及收工集合。
2.修集浆池，加压泥浆泵排泥、淤区内作业面移位等作业及其他各种辅助作业。

(3)　Ⅲ类土

单位：$10000m^3$

项　目	单位	排泥管线长度(m)				
		≤600	700	800	900	1000
工　长	工时	7.0	7.0	7.0	7.0	7.0
高级工	工时					
中级工	工时	40.7	41.1	41.5	41.9	42.3
初级工	工时	320.8	320.8	320.8	320.8	320.8
合　计	工时	368.5	368.9	369.3	369.7	370.1
零星材料费	%	3	3	3	3	3
高压水泵 22kW	台时	445.20	445.20	445.20	445.20	445.20
水枪 Φ65mm	台时	929.92	931.95	933.98	935.99	937.97
泥浆泵 22kW	台时	445.20	445.20	445.20	445.20	445.20
排泥管 Φ150mm	百米时	890.40	890.40	890.40	890.40	890.40
泥浆泵 100kW	台时	52.69	55.40	58.10	60.78	63.43
高压水泵 7.5kW	台时	39.52	41.55	43.58	45.59	47.57
排泥管 Φ300mm×4000mm	根时	7903.50	9399.21	10894.92	12390.63	13886.34
编　号		81838	81839	81840	81841	81842

续表

项目	单位	排泥管线长度(m)				
		1100	1200	1300	1400	1500
工长	工时	7.0	7.0	7.0	7.0	7.0
高级工	工时					
中级工	工时	42.7	43.1	43.5	43.9	44.3
初级工	工时	320.8	320.8	320.8	320.8	320.8
合计	工时	370.5	370.9	371.3	371.7	372.1
零星材料费	%	3	3	3	3	3
高压水泵 22kW	台时	445.20	445.20	445.20	445.20	445.20
水枪 Φ65mm	台时	939.95	941.89	943.81	945.68	947.53
泥浆泵 22kW	台时	445.20	445.20	445.20	445.20	445.20
排泥管 Φ150mm	百米时	890.40	890.40	890.40	890.40	890.40
泥浆泵 100kW	台时	66.06	68.65	71.21	73.71	76.17
高压水泵 7.5kW	台时	49.55	51.49	53.41	55.28	57.13
排泥管 Φ300mm×4000mm	根时	15382.05	16877.76	18373.47	19869.18	21364.89
编号		81843	81844	81845	81846	81847

续表

项目	单位	排泥管线长度(m)				
		1600	1700	1800	1900	2000
工长	工时	7.0	7.0	7.0	7.0	7.0
高级工	工时					
中级工	工时	44.7	45.1	45.5	45.9	46.3
初级工	工时	320.8	320.8	320.8	320.8	320.8
合计	工时	372.5	372.9	373.3	373.7	374.1
零星材料费	%	3	3	3	3	3
高压水泵 22kW	台时	445.20	445.20	445.20	445.20	445.20
水枪 Φ65mm	台时	949.33	951.08	952.79	954.44	956.04
泥浆泵 22kW	台时	445.20	445.20	445.20	445.20	445.20
排泥管 Φ150mm	百米时	890.40	890.40	890.40	890.40	890.40
泥浆泵 100kW	台时	78.57	80.91	83.19	85.39	87.52
高压水泵 7.5kW	台时	58.93	60.68	62.39	64.04	65.64
排泥管 Φ300mm×4000mm	根时	22860.60	24356.31	25852.02	27347.73	28843.44
编号		81848	81849	81850	81851	81852

续表

项目	单位	排泥管线长度(m)				
		2100	2200	2300	2400	2500
工长	工时	7.0	7.0	7.0	7.0	7.0
高级工	工时					
中级工	工时	46.7	47.1	47.5	47.9	48.3
初级工	工时	320.8	320.8	320.8	320.8	320.8
合计	工时	374.5	374.9	375.3	375.7	376.1
零星材料费	%	3	3	3	3	3
高压水泵 22kW	台时	445.20	445.20	445.20	445.20	445.20
水枪 Φ65mm	台时	957.58	959.06	960.47	961.83	963.91
泥浆泵 22kW	台时	445.20	445.20	445.20	445.20	445.20
排泥管 Φ150mm	百米时	890.40	890.40	890.40	890.40	890.40
泥浆泵 100kW	台时	89.57	91.55	93.43	95.24	98.01
高压水泵 7.5kW	台时	67.18	68.66	70.07	71.43	73.51
排泥管 Φ300mm×4000mm	根时	30339.15	31834.86	33330.57	34826.28	36321.99
编号		81853	81854	81855	81856	81857

续表

项目	单位	排泥管线长度(m)				
		2600	2700	2800	2900	3000
工长	工时	7.0	7.0	7.0	7.0	7.0
高级工	工时					
中级工	工时	48.7	49.1	49.5	49.9	50.3
初级工	工时	320.8	320.8	320.8	320.8	320.8
合计	工时	376.5	376.9	377.3	377.7	378.1
零星材料费	%	3	3	3	3	3
高压水泵 22kW	台时	445.20	445.20	445.20	445.20	445.20
水枪 Φ65mm	台时	965.21	966.70	968.18	969.65	971.11
泥浆泵 22kW	台时	445.20	445.20	445.20	445.20	445.20
排泥管 Φ150mm	百米时	890.40	890.40	890.40	890.40	890.40
泥浆泵 100kW	台时	99.75	101.73	103.70	105.66	107.61
高压水泵 7.5kW	台时	74.81	76.30	77.78	79.25	80.71
排泥管 Φ300mm×4000mm	根时	37817.70	39313.41	40809.12	42304.83	43800.54
编号		81858	81859	81860	81861	81862

续表

项目	单位	排泥管线长度(m)				
		3100	3200	3300	3400	3500
工长	工时	7.0	7.0	7.0	7.0	7.0
高级工	工时					
中级工	工时	50.7	51.1	51.5	51.9	52.3
初级工	工时	320.8	320.8	320.8	320.8	320.8
合计	工时	378.5	378.9	379.3	379.7	380.1
零星材料费	%	3	3	3	3	3
高压水泵 22kW	台时	445.20	445.20	445.20	445.20	445.20
水枪 Φ65mm	台时	972.56	974.01	975.45	976.88	978.31
泥浆泵 22kW	台时	445.20	445.20	445.20	445.20	445.20
排泥管 Φ150mm	百米时	890.40	890.40	890.40	890.40	890.40
泥浆泵 100kW	台时	109.55	111.48	113.40	115.31	117.21
高压水泵 7.5kW	台时	82.16	83.61	85.05	86.48	87.91
排泥管 Φ300mm×4000mm	根时	45296.25	46791.96	48287.67	49783.38	51279.09
编号		81863	81864	81865	81866	81867

续表

项目	单位	排泥管线长度(m)				
		3600	3700	3800	3900	4000
工长	工时	7.0	7.0	7.0	7.0	7.0
高级工	工时					
中级工	工时	52.7	53.1	53.5	53.9	54.3
初级工	工时	320.8	320.8	320.8	320.8	320.8
合计	工时	380.5	380.9	381.3	381.7	382.1
零星材料费	%	3	3	3	3	3
高压水泵 22kW	台时	445.20	445.20	445.20	445.20	445.20
水枪 Φ65mm	台时	979.72	981.13	982.54	983.93	985.32
泥浆泵 22kW	台时	445.20	445.20	445.20	445.20	445.20
排泥管 Φ150mm	百米时	890.40	890.40	890.40	890.40	890.40
泥浆泵 100kW	台时	119.10	120.98	122.85	124.71	126.56
高压水泵 7.5kW	台时	89.32	90.73	92.14	93.53	94.92
排泥管 Φ300mm×4000mm	根时	52774.80	54270.51	55766.22	57261.93	58757.64
编号		81868	81869	81870	81871	81872

续表

项目	单位	排泥管线长度(m)				
		4100	4200	4300	4400	4500
工长	工时	7.0	7.0	7.0	7.0	7.0
高级工	工时					
中级工	工时	54.7	55.1	55.5	55.9	56.3
初级工	工时	320.8	320.8	320.8	320.8	320.8
合计	工时	382.5	382.9	383.3	383.7	384.1
零星材料费	%	3	3	3	3	3
高压水泵 22kW	台时	445.20	445.20	445.20	445.20	445.20
水枪 Φ65mm	台时	986.70	988.07	989.44	990.80	992.15
泥浆泵 22kW	台时	445.20	445.20	445.20	445.20	445.20
排泥管 Φ150mm	百米时	890.40	890.40	890.40	890.40	890.40
泥浆泵 100kW	台时	128.40	130.23	132.05	133.86	135.66
高压水泵 7.5kW	台时	96.30	97.67	99.04	100.40	101.75
排泥管 Φ300mm×4000mm	根时	60253.35	61749.06	63244.77	64740.48	66236.19
编号		81873	81874	81875	81876	81877

续表

项目	单位	排泥管线长度(m)				
		4600	4700	4800	4900	5000
工长	工时	7.0	7.0	7.0	7.0	7.0
高级工	工时					
中级工	工时	56.7	57.1	57.5	57.9	58.3
初级工	工时	320.8	320.8	320.8	320.8	320.8
合计	工时	384.5	384.9	385.3	385.7	386.1
零星材料费	%	3	3	3	3	3
高压水泵 22kW	台时	445.20	445.20	445.20	445.20	445.20
水枪 Φ65mm	台时	993.49	994.82	996.15	997.47	998.78
泥浆泵 22kW	台时	445.20	445.20	445.20	445.20	445.20
排泥管 Φ150mm	百米时	890.40	890.40	890.40	890.40	890.40
泥浆泵 100kW	台时	137.45	139.23	141.00	142.76	144.51
高压水泵 7.5kW	台时	103.09	104.42	105.75	107.07	108.38
排泥管 Φ300mm×4000mm	根时	67731.90	69227.61	70723.32	72219.03	73714.74
编号		81878	81879	81880	81881	81882

续表

项　目	单位	排泥管线长度(m)				
		5100	5200	5300	5400	5500
工　长	工时	7.0	7.0	7.0	7.0	7.0
高级工	工时					
中级工	工时	58.7	59.1	59.5	59.9	60.3
初级工	工时	320.8	320.8	320.8	320.8	320.8
合　计	工时	386.5	386.9	387.3	387.7	388.1
零星材料费	%	3	3	3	3	3
高压水泵 22kW	台时	445.20	445.20	445.20	445.20	445.20
水枪 Φ65mm	台时	1000.27	1001.75	1003.22	1004.68	1006.13
泥浆泵 22kW	台时	445.20	445.20	445.20	445.20	445.20
排泥管 Φ150mm	百米时	890.40	890.40	890.40	890.40	890.40
泥浆泵 100kW	台时	146.49	148.46	150.42	152.37	154.31
高压水泵 7.5kW	台时	109.87	111.35	112.82	114.28	115.73
排泥管 Φ300mm×4000mm	根时	75210.45	76706.16	78201.87	79697.58	81193.29
编　号		81883	81884	81885	81886	81887

续表

项目	单位	排泥管线长度(m)				
		5600	5700	5800	5900	6000
工长	工时	7.0	7.0	7.0	7.0	7.0
高级工	工时					
中级工	工时	60.7	61.1	61.5	61.9	62.3
初级工	工时	320.8	320.8	320.8	320.8	320.8
合计	工时	388.5	388.9	389.3	389.7	390.1
零星材料费	%	3	3	3	3	3
高压水泵 22kW	台时	445.20	445.20	445.20	445.20	445.20
水枪 Φ65mm	台时	1007.58	1009.02	1010.45	1011.88	1013.30
泥浆泵 22kW	台时	445.20	445.20	445.20	445.20	445.20
排泥管 Φ150mm	百米时	890.40	890.40	890.40	890.40	890.40
泥浆泵 100kW	台时	156.24	158.16	160.07	161.97	163.86
高压水泵 7.5kW	台时	117.18	118.62	120.05	121.48	122.90
排泥管 Φ300mm×4000mm	根时	82689.00	84184.71	85680.42	87176.13	88671.84
编号		81888	81889	81890	81891	81892

续表

项目	单位	排泥管线长度(m)				
		6100	6200	6300	6400	6500
工长	工时	7.0	7.0	7.0	7.0	7.0
高级工	工时					
中级工	工时	62.7	63.1	63.5	63.9	64.3
初级工	工时	320.8	320.8	320.8	320.8	320.8
合计	工时	390.5	390.9	391.3	391.7	392.1
零星材料费	%	3	3	3	3	3
高压水泵 22kW	台时	445.20	445.20	445.20	445.20	445.20
水枪 Φ65mm	台时	1014.71	1016.11	1017.50	1018.89	1020.27
泥浆泵 22kW	台时	445.20	445.20	445.20	445.20	445.20
排泥管 Φ150mm	百米时	890.40	890.40	890.40	890.40	890.40
泥浆泵 100kW	台时	165.74	167.61	169.47	171.32	173.16
高压水泵 7.5kW	台时	124.31	125.71	127.10	128.49	129.87
排泥管 Φ300mm×4000mm	根时	90167.55	91663.26	93158.97	94654.68	96150.39
编号		81893	81894	81895	81896	81897

续表

项目	单位	排泥管线长度(m)				
		6600	6700	6800	6900	7000
工长	工时	7.0	7.0	7.0	7.0	7.0
高级工	工时					
中级工	工时	64.7	65.1	65.5	65.9	66.3
初级工	工时	320.8	320.8	320.8	320.8	320.8
合计	工时	392.5	392.9	393.3	393.7	394.1
零星材料费	%	3	3	3	3	3
高压水泵 22kW	台时	445.20	445.20	445.20	445.20	445.20
水枪 Φ65mm	台时	1021.64	1023.01	1024.37	1025.72	1027.06
泥浆泵 22kW	台时	445.20	445.20	445.20	445.20	445.20
排泥管 Φ150mm	百米时	890.40	890.40	890.40	890.40	890.40
泥浆泵 100kW	台时	174.99	176.81	178.62	180.42	182.21
高压水泵 7.5kW	台时	131.24	132.61	133.97	135.32	136.66
排泥管 Φ300mm×4000mm	根时	97646.10	99141.81	100637.52	102133.23	103628.94
编号		81898	81899	81900	81901	81902

续表

项目	单位	排泥管线长度(m)				
		7100	7200	7300	7400	7500
工长	工时	7.0	7.0	7.0	7.0	7.0
高级工	工时					
中级工	工时	66.7	67.1	67.5	67.9	68.3
初级工	工时	320.8	320.8	320.8	320.8	320.8
合计	工时	394.5	394.9	395.3	395.7	396.1
零星材料费	%	3	3	3	3	3
高压水泵 22kW	台时	445.20	445.20	445.20	445.20	445.20
水枪 Φ65mm	台时	1028.39	1029.72	1031.04	1032.35	1033.70
泥浆泵 22kW	台时	445.20	445.20	445.20	445.20	445.20
排泥管 Φ150mm	百米时	890.40	890.40	890.40	890.40	890.40
泥浆泵 100kW	台时	183.99	185.76	187.52	189.27	191.06
高压水泵 7.5kW	台时	137.99	139.32	140.64	141.95	143.30
排泥管 Φ300mm×4000mm	根时	105124.65	106620.36	108116.07	109611.78	111107.49
编号		81903	81904	81905	81906	81907

续表

项目	单位	排泥管线长度(m)				
		7600	7700	7800	7900	8000
工长	工时	7.0	7.0	7.0	7.0	7.0
高级工	工时					
中级工	工时	68.7	69.1	69.5	69.9	70.3
初级工	工时	320.8	320.8	320.8	320.8	320.8
合计	工时	396.5	396.9	397.3	397.7	398.1
零星材料费	%	3	3	3	3	3
高压水泵 22kW	台时	445.20	445.20	445.20	445.20	445.20
水枪 Φ65mm	台时	1035.18	1036.66	1038.13	1039.59	1041.05
泥浆泵 22kW	台时	445.20	445.20	445.20	445.20	445.20
排泥管 Φ150mm	百米时	890.40	890.40	890.40	890.40	890.40
泥浆泵 100kW	台时	193.04	195.01	196.97	198.92	200.86
高压水泵 7.5kW	台时	144.78	146.26	147.73	149.19	150.65
排泥管 Φ300mm×4000mm	根时	112603.20	114098.91	115594.62	117090.33	118586.04
编号		81908	81909	81910	81911	81912

续表

项目	单位	排泥管线长度(m)				
		8100	8200	8300	8400	8500
工长	工时	7.0	7.0	7.0	7.0	7.0
高级工	工时					
中级工	工时	70.7	71.1	71.5	71.9	72.3
初级工	工时	320.8	320.8	320.8	320.8	320.8
合计	工时	398.5	398.9	399.3	399.7	400.1
零星材料费	%	3	3	3	3	3
高压水泵 22kW	台时	445.20	445.20	445.20	445.20	445.20
水枪 Φ65mm	台时	1042.49	1043.93	1045.37	1046.79	1048.21
泥浆泵 22kW	台时	445.20	445.20	445.20	445.20	445.20
排泥管 Φ150mm	百米时	890.40	890.40	890.40	890.40	890.40
泥浆泵 100kW	台时	202.79	204.71	206.62	208.52	210.41
高压水泵 7.5kW	台时	152.09	153.53	154.97	156.39	157.81
排泥管 Φ300mm×4000mm	根时	120081.75	121577.46	123073.17	124568.88	126064.59
编号		81913	81914	81915	81916	81917

续表

项　目	单位	排泥管线长度(m)				
		8600	8700	8800	8900	9000
工　长	工时	7.0	7.0	7.0	7.0	7.0
高级工	工时					
中级工	工时	72.7	73.1	73.5	73.9	74.3
初级工	工时	320.8	320.8	320.8	320.8	320.8
合　计	工时	400.5	400.9	401.3	401.7	402.1
零星材料费	%	3	3	3	3	3
高压水泵 22kW	台时	445.20	445.20	445.20	445.20	445.20
水枪 Φ65mm	台时	1049.62	1051.02	1052.42	1053.80	1055.18
泥浆泵 22kW	台时	445.20	445.20	445.20	445.20	445.20
排泥管 Φ150mm	百米时	890.40	890.40	890.40	890.40	890.40
泥浆泵 100kW	台时	212.29	214.16	216.02	217.87	219.71
高压水泵 7.5kW	台时	159.22	160.62	162.02	163.40	164.78
排泥管 Φ300mm×4000mm	根时	127560.30	129056.01	130551.72	132047.43	133543.14
编　号		81918	81919	81920	81921	81922

续表

项目	单位	排泥管线长度(m)				
		9100	9200	9300	9400	9500
工长	工时	7.0	7.0	7.0	7.0	7.0
高级工	工时					
中级工	工时	74.7	75.1	75.5	75.9	76.3
初级工	工时	320.8	320.8	320.8	320.8	320.8
合计	工时	402.5	402.9	403.3	403.7	404.1
零星材料费	%	3	3	3	3	3
高压水泵 22kW	台时	445.20	445.20	445.20	445.20	445.20
水枪 Φ65mm	台时	1056.56	1057.92	1059.28	1060.63	1061.97
泥浆泵 22kW	台时	445.20	445.20	445.20	445.20	445.20
排泥管 Φ150mm	百米时	890.40	890.40	890.40	890.40	890.40
泥浆泵 100kW	台时	221.54	223.36	225.17	226.97	228.76
高压水泵 7.5kW	台时	166.16	167.52	168.88	170.23	171.57
排泥管 Φ300mm×4000mm	根时	135038.85	136534.56	138030.27	139525.98	141021.69
编号		81923	81924	81925	81926	81927

续表

项目	单位	排泥管线长度(m)				
		9600	9700	9800	9900	10000
工长	工时	7.0	7.0	7.0	7.0	7.0
高级工	工时					
中级工	工时	76.7	77.1	77.5	77.9	78.3
初级工	工时	320.8	320.8	320.8	320.8	320.8
合计	工时	404.5	404.9	405.3	405.7	406.1
零星材料费	%	3	3	3	3	3
高压水泵 22kW	台时	445.20	445.20	445.20	445.20	445.20
水枪 Φ65mm	台时	1063.31	1064.63	1065.95	1067.27	1068.60
泥浆泵 22kW	台时	445.20	445.20	445.20	445.20	445.20
排泥管 Φ150mm	百米时	890.40	890.40	890.40	890.40	890.40
泥浆泵 100kW	台时	230.54	232.31	234.07	235.82	237.60
高压水泵 7.5kW	台时	172.91	174.23	175.55	176.87	178.20
排泥管 Φ300mm×4000mm	根时	142517.40	144013.11	145508.82	147004.53	148500.00
编号		81928	81929	81930	81931	81932

续表

项目	单位	排泥管线长度(m)				
		10100	10200	10300	10400	10500
工长	工时	7.0	7.0	7.0	7.0	7.0
高级工	工时					
中级工	工时	78.7	79.1	79.5	79.9	80.3
初级工	工时	320.8	320.8	320.8	320.8	320.8
合计	工时	406.5	406.9	407.3	407.7	408.1
零星材料费	%	3	3	3	3	3
高压水泵 22kW	台时	445.20	445.20	445.20	445.20	445.20
水枪 Φ65mm	台时	1069.93	1071.26	1072.59	1073.92	1075.25
泥浆泵 22kW	台时	445.20	445.20	445.20	445.20	445.20
排泥管 Φ150mm	百米时	890.40	890.40	890.40	890.40	890.40
泥浆泵 100kW	台时	239.38	241.16	242.94	244.72	246.50
高压水泵 7.5kW	台时	179.53	180.86	182.19	183.52	184.85
排泥管 Φ300mm×4000mm	根时	149995.47	151490.94	152986.41	154481.88	155977.35
编号		81933	81934	81935	81936	81937

续表

项目	单位	排泥管线长度(m)				
		10600	10700	10800	10900	11000
工长	工时	7.0	7.0	7.0	7.0	7.0
高级工	工时					
中级工	工时	80.7	81.1	81.5	81.9	82.3
初级工	工时	320.8	320.8	320.8	320.8	320.8
合计	工时	408.5	408.9	409.3	409.7	410.1
零星材料费	%	3	3	3	3	3
高压水泵 22kW	台时	445.20	445.20	445.20	445.20	445.20
水枪 Φ65mm	台时	1076.58	1077.91	1079.24	1080.57	1081.90
泥浆泵 22kW	台时	445.20	445.20	445.20	445.20	445.20
排泥管 Φ150mm	百米时	890.40	890.40	890.40	890.40	890.40
泥浆泵 100kW	台时	248.28	250.06	251.84	253.62	255.40
高压水泵 7.5kW	台时	186.18	187.51	188.84	190.17	191.50
排泥管 Φ300mm×4000mm	根时	157472.82	158968.29	160463.76	161959.23	163454.70
编号		81938	81939	81940	81941	81942

续表

项目	单位	排泥管线长度(m)				
		11100	11200	11300	11400	11500
工长	工时	7.0	7.0	7.0	7.0	7.0
高级工	工时					
中级工	工时	82.7	83.1	83.5	83.9	84.3
初级工	工时	320.8	320.8	320.8	320.8	320.8
合计	工时	410.5	410.9	411.3	411.7	412.1
零星材料费	%	3	3	3	3	3
高压水泵 22kW	台时	445.20	445.20	445.20	445.20	445.20
水枪 Φ65mm	台时	1083.23	1084.56	1085.89	1087.22	1088.55
泥浆泵 22kW	台时	445.20	445.20	445.20	445.20	445.20
排泥管 Φ150mm	百米时	890.40	890.40	890.40	890.40	890.40
泥浆泵 100kW	台时	257.18	258.96	260.74	262.52	264.30
高压水泵 7.5kW	台时	192.83	194.16	195.49	196.82	198.15
排泥管 Φ300mm×4000mm	根时	164950.17	166445.64	167941.11	169436.58	170932.05
编号		81943	81944	81945	81946	81947

续表

项目	单位	排泥管线长度(m)				
		11600	11700	11800	11900	12000
工长	工时	7.0	7.0	7.0	7.0	7.0
高级工	工时					
中级工	工时	84.7	85.1	85.5	85.9	86.3
初级工	工时	320.8	320.8	320.8	320.8	320.8
合计	工时	412.5	412.9	413.3	413.7	414.1
零星材料费	%	3	3	3	3	3
高压水泵 22kW	台时	445.20	445.20	445.20	445.20	445.20
水枪 Φ65mm	台时	1089.88	1091.21	1092.54	1093.87	1095.20
泥浆泵 22kW	台时	445.20	445.20	445.20	445.20	445.20
排泥管 Φ150mm	百米时	890.40	890.40	890.40	890.40	890.40
泥浆泵 100kW	台时	266.08	267.86	269.64	271.42	273.20
高压水泵 7.5kW	台时	199.48	200.81	202.14	203.47	204.80
排泥管 Φ300mm×4000mm	根时	172427.52	173922.99	175418.46	176913.93	178409.40
编号		81948	81949	81950	81951	81952

3 136kW 组合泵

工作内容：1.水力冲挖机组开工展布、水力冲挖、吸排泥、作业面转移及收工集合。

2.修集浆池，加压泥浆泵排泥、淤区内作业面移位等作业及其他各种辅助作业。

(1) Ⅰ类土

单位：$10000m^3$

项目	单位	排泥管线长度(m)				
		≤600	700	800	900	1000
工长	工时	6.0	6.0	6.0	6.0	6.0
高级工	工时					
中级工	工时	29.2	29.5	29.8	30.1	30.4
初级工	工时	222.3	222.3	222.3	222.3	222.3
合计	工时	257.5	257.8	258.1	258.4	258.7
零星材料费	%	3	3	3	3	3
高压水泵 22kW	台时	251.53	251.53	251.53	251.53	251.53
水枪 Φ65mm	台时	535.79	537.18	538.56	539.93	541.29
泥浆泵 22kW	台时	251.53	251.53	251.53	251.53	251.53
排泥管 Φ150mm	百米时	503.05	503.05	503.05	503.05	503.05
泥浆泵 136kW	台时	43.65	45.51	47.34	49.17	50.98
高压水泵 7.5kW	台时	32.74	34.13	35.51	36.88	38.24
排泥管 Φ300mm×4000mm	根时	6547.50	7790.88	9034.26	10277.64	11521.02
编号		81953	81954	81955	81956	81957

续表

项目	单位	排泥管线长度(m)				
		1100	1200	1300	1400	1500
工长	工时	6.0	6.0	6.0	6.0	6.0
高级工	工时					
中级工	工时	30.7	31.0	31.3	31.6	31.9
初级工	工时	222.3	222.3	222.3	222.3	222.3
合计	工时	259.0	259.3	259.6	259.9	260.2
零星材料费	%	3	3	3	3	3
高压水泵 22kW	台时	251.53	251.53	251.53	251.53	251.53
水枪 Φ65mm	台时	542.63	543.95	545.25	545.64	546.87
泥浆泵 22kW	台时	251.53	251.53	251.53	251.53	251.53
排泥管 Φ150mm	百米时	503.05	503.05	503.05	503.05	503.05
泥浆泵 136kW	台时	52.77	54.53	56.26	56.78	58.43
高压水泵 7.5kW	台时	39.58	40.90	42.20	42.59	43.82
排泥管 Φ300mm×4000mm	根时	12764.40	14007.78	15251.16	16494.54	17737.92
编号		81958	81959	81960	81961	81962

续表

项目	单位	排泥管线长度(m)				
		1600	1700	1800	1900	2000
工长	工时	6.0	6.0	6.0	6.0	6.0
高级工	工时					
中级工	工时	32.2	32.5	32.8	33.1	33.4
初级工	工时	222.3	222.3	222.3	222.3	222.3
合计	工时	260.5	260.8	261.1	261.4	261.7
零星材料费	%	3	3	3	3	3
高压水泵 22kW	台时	251.53	251.53	251.53	251.53	251.53
水枪 Φ65mm	台时	548.08	549.25	550.38	551.46	552.51
泥浆泵 22kW	台时	251.53	251.53	251.53	251.53	251.53
排泥管 Φ150mm	百米时	503.05	503.05	503.05	503.05	503.05
泥浆泵 136kW	台时	60.04	61.60	63.10	64.55	65.94
高压水泵 7.5kW	台时	45.03	46.20	47.33	48.41	49.46
排泥管 Φ300mm×4000mm	根时	18981.30	20224.68	21468.06	22711.44	23954.82
编号		81963	81964	81965	81966	81967

续表

项目	单位	排泥管线长度(m)				
		2100	2200	2300	2400	2500
工长	工时	6.0	6.0	6.0	6.0	6.0
高级工	工时					
中级工	工时	33.7	34.0	34.3	34.6	34.9
初级工	工时	222.3	222.3	222.3	222.3	222.3
合计	工时	262.0	262.3	262.6	262.9	263.2
零星材料费	%	3	3	3	3	3
高压水泵 22kW	台时	251.53	251.53	251.53	251.53	251.53
水枪 Φ65mm	台时	553.50	555.48	556.71	557.94	559.17
泥浆泵 22kW	台时	251.53	251.53	251.53	251.53	251.53
排泥管 Φ150mm	百米时	503.05	503.05	503.05	503.05	503.05
泥浆泵 136kW	台时	67.27	69.91	71.55	73.19	74.83
高压水泵 7.5kW	台时	50.45	52.43	53.66	54.89	56.12
排泥管 Φ300mm×4000mm	根时	25198.20	26441.58	27684.96	28928.34	30171.72
编号		81968	81969	81970	81971	81972

续表

项　　目	单位	排泥管线长度(m)				
		2600	2700	2800	2900	3000
工　长	工时	6.0	6.0	6.0	6.0	6.0
高级工	工时					
中级工	工时	35.2	35.5	35.8	36.1	36.4
初级工	工时	222.3	222.3	222.3	222.3	222.3
合　计	工时	263.5	263.8	264.1	264.4	264.7
零星材料费	%	3	3	3	3	3
高压水泵 22kW	台时	251.53	251.53	251.53	251.53	251.53
水枪 Φ65mm	台时	560.40	561.63	562.86	564.09	565.32
泥浆泵 22kW	台时	251.53	251.53	251.53	251.53	251.53
排泥管 Φ150mm	百米时	503.05	503.05	503.05	503.05	503.05
泥浆泵 136kW	台时	76.47	78.11	79.75	81.39	83.03
高压水泵 7.5kW	台时	57.35	58.58	59.81	61.04	62.27
排泥管 Φ300mm×4000mm	根时	31415.10	32658.48	33901.86	35145.24	36388.62
编　　号		81973	81974	81975	81976	81977

续表

项目	单位	排泥管线长度(m)				
		3100	3200	3300	3400	3500
工长	工时	6.0	6.0	6.0	6.0	6.0
高级工	工时					
中级工	工时	36.7	37.0	37.3	37.6	37.9
初级工	工时	222.3	222.3	222.3	222.3	222.3
合计	工时	265.0	265.3	265.6	265.9	266.2
零星材料费	%	3	3	3	3	3
高压水泵 22kW	台时	251.53	251.53	251.53	251.53	251.53
水枪 Φ65mm	台时	566.78	568.15	569.57	570.90	572.28
泥浆泵 22kW	台时	251.53	251.53	251.53	251.53	251.53
排泥管 Φ150mm	百米时	503.05	503.05	503.05	503.05	503.05
泥浆泵 136kW	台时	84.97	86.80	88.69	90.47	92.30
高压水泵 7.5kW	台时	63.73	65.10	66.52	67.85	69.23
排泥管 Φ300mm×4000mm	根时	37632.00	38875.38	40118.76	41362.14	42605.52
编号		81978	81979	81980	81981	81982

续表

项目	单位	排泥管线长度(m)				
		3600	3700	3800	3900	4000
工长	工时	6.0	6.0	6.0	6.0	6.0
高级工	工时					
中级工	工时	38.2	38.5	38.8	39.1	39.4
初级工	工时	222.3	222.3	222.3	222.3	222.3
合计	工时	266.5	266.8	267.1	267.4	267.7
零星材料费	%	3	3	3	3	3
高压水泵 22kW	台时	251.53	251.53	251.53	251.53	251.53
水枪 Φ65mm	台时	573.57	574.91	576.17	577.46	578.67
泥浆泵 22kW	台时	251.53	251.53	251.53	251.53	251.53
排泥管 Φ150mm	百米时	503.05	503.05	503.05	503.05	503.05
泥浆泵 136kW	台时	94.03	95.81	97.49	99.21	100.83
高压水泵 7.5kW	台时	70.52	71.86	73.12	74.41	75.62
排泥管 Φ300mm×4000mm	根时	43848.90	45092.28	46335.66	47579.04	48822.42
编号		81983	81984	81985	81986	81987

续表

项目	单位	排泥管线长度(m)				
		4100	4200	4300	4400	4500
工长	工时	6.0	6.0	6.0	6.0	6.0
高级工	工时					
中级工	工时	39.7	40.0	40.3	40.6	40.9
初级工	工时	222.3	222.3	222.3	222.3	222.3
合计	工时	268.0	268.3	268.6	268.9	269.2
零星材料费	%	3	3	3	3	3
高压水泵 22kW	台时	251.53	251.53	251.53	251.53	251.53
水枪 Φ65mm	台时	579.92	581.09	582.28	583.41	584.55
泥浆泵 22kW	台时	251.53	251.53	251.53	251.53	251.53
排泥管 Φ150mm	百米时	503.05	503.05	503.05	503.05	503.05
泥浆泵 136kW	台时	102.49	104.05	105.64	107.14	108.66
高压水泵 7.5kW	台时	76.87	78.04	79.23	80.36	81.50
排泥管 Φ300mm×4000mm	根时	50065.80	51309.18	52552.56	53795.94	55039.32
编号		81988	81989	81990	81991	81992

续表

项目	单位	排泥管线长度(m)				
		4600	4700	4800	4900	5000
工长	工时	6.0	6.0	6.0	6.0	6.0
高级工	工时					
中级工	工时	41.2	41.5	41.8	42.1	42.4
初级工	工时	222.3	222.3	222.3	222.3	222.3
合计	工时	269.5	269.8	270.1	270.4	270.7
零星材料费	%	3	3	3	3	3
高压水泵 22kW	台时	251.53	251.53	251.53	251.53	251.53
水枪 Φ65mm	台时	585.63	586.71	587.75	588.79	589.80
泥浆泵 22kW	台时	251.53	251.53	251.53	251.53	251.53
排泥管 Φ150mm	百米时	503.05	503.05	503.05	503.05	503.05
泥浆泵 136kW	台时	110.10	111.55	112.93	114.32	115.66
高压水泵 7.5kW	台时	82.58	83.66	84.70	85.74	86.75
排泥管 Φ300mm×4000mm	根时	56282.70	57526.08	58769.46	60012.84	61256.22
编号		81993	81994	81995	81996	81997

续表

项　目	单位	排泥管线长度(m)				
		5100	5200	5300	5400	5500
工　长	工时	6.0	6.0	6.0	6.0	6.0
高级工	工时					
中级工	工时	42.7	43.0	43.3	43.6	43.9
初级工	工时	222.3	222.3	222.3	222.3	222.3
合　计	工时	271.0	271.3	271.6	271.9	272.2
零星材料费	%	3	3	3	3	3
高压水泵 22kW	台时	251.53	251.53	251.53	251.53	251.53
水枪 Φ65mm	台时	591.06	592.33	593.48	594.86	596.08
泥浆泵 22kW	台时	251.53	251.53	251.53	251.53	251.53
排泥管 Φ150mm	百米时	503.05	503.05	503.05	503.05	503.05
泥浆泵 136kW	台时	117.35	119.04	120.57	122.41	124.04
高压水泵 7.5kW	台时	88.01	89.28	90.43	91.81	93.03
排泥管 Φ300mm×4000mm	根时	62499.60	63742.98	64986.36	66229.74	67473.12
编　号		81998	81999	82000	82001	82002

续表

项　目	单位	排泥管线长度(m)				
		5600	5700	5800	5900	6000
工　长	工时	6.0	6.0	6.0	6.0	6.0
高级工	工时					
中级工	工时	44.2	44.5	44.8	45.1	45.4
初级工	工时	222.3	222.3	222.3	222.3	222.3
合　计	工时	272.5	272.8	273.1	273.4	273.7
零星材料费	%	3	3	3	3	3
高压水泵 22kW	台时	251.53	251.53	251.53	251.53	251.53
水枪 Φ65mm	台时	597.39	598.78	600.12	601.40	602.74
泥浆泵 22kW	台时	251.53	251.53	251.53	251.53	251.53
排泥管 Φ150mm	百米时	503.05	503.05	503.05	503.05	503.05
泥浆泵 136kW	台时	125.79	127.64	129.43	131.13	132.92
高压水泵 7.5kW	台时	94.34	95.73	97.07	98.35	99.69
排泥管 Φ300mm×4000mm	根时	68716.50	69959.88	71203.26	72446.64	73690.02
编　号		82003	82004	82005	82006	82007

续表

项目	单位	排泥管线长度(m)				
		6100	6200	6300	6400	6500
工长	工时	6.0	6.0	6.0	6.0	6.0
高级工	工时					
中级工	工时	45.7	46.0	46.3	46.6	46.9
初级工	工时	222.3	222.3	222.3	222.3	222.3
合计	工时	274.0	274.3	274.6	274.9	275.2
零星材料费	%	3	3	3	3	3
高压水泵 22kW	台时	251.53	251.53	251.53	251.53	251.53
水枪 Φ65mm	台时	604.04	605.28	606.58	607.83	609.03
泥浆泵 22kW	台时	251.53	251.53	251.53	251.53	251.53
排泥管 Φ150mm	百米时	503.05	503.05	503.05	503.05	503.05
泥浆泵 136kW	台时	134.65	136.31	138.04	139.70	141.30
高压水泵 7.5kW	台时	100.99	102.23	103.53	104.78	105.98
排泥管 Φ300mm×4000mm	根时	74933.40	76176.78	77420.16	78663.54	79906.92
编号		82008	82009	82010	82011	82012

续表

项目	单位	排泥管线长度(m)				
		6600	6700	6800	6900	7000
工长	工时	6.0	6.0	6.0	6.0	6.0
高级工	工时					
中级工	工时	47.2	47.5	47.8	48.1	48.4
初级工	工时	222.3	222.3	222.3	222.3	222.3
合计	工时	275.5	275.8	276.1	276.4	276.7
零星材料费	%	3	3	3	3	3
高压水泵 22kW	台时	251.53	251.53	251.53	251.53	251.53
水枪 Φ65mm	台时	610.27	611.46	612.63	613.82	614.96
泥浆泵 22kW	台时	251.53	251.53	251.53	251.53	251.53
排泥管 Φ150mm	百米时	503.05	503.05	503.05	503.05	503.05
泥浆泵 136kW	台时	142.96	144.55	146.10	147.69	149.21
高压水泵 7.5kW	台时	107.22	108.41	109.58	110.77	111.91
排泥管 Φ300mm×4000mm	根时	81150.30	82393.68	83637.06	84880.44	86123.82
编号		82013	82014	82015	82016	82017

续表

项　目	单位	排泥管线长度(m)				
		7100	7200	7300	7400	7500
工　长	工时	6.0	6.0	6.0	6.0	6.0
高级工	工时					
中级工	工时	48.7	49.0	49.3	49.6	49.9
初级工	工时	222.3	222.3	222.3	222.3	222.3
合　计	工时	277.0	277.3	277.6	277.9	278.2
零星材料费	%	3	3	3	3	3
高压水泵 22kW	台时	251.53	251.53	251.53	251.53	251.53
水枪 Φ65mm	台时	616.08	617.22	618.32	619.41	620.50
泥浆泵 22kW	台时	251.53	251.53	251.53	251.53	251.53
排泥管 Φ150mm	百米时	503.05	503.05	503.05	503.05	503.05
泥浆泵 136kW	台时	150.71	152.23	153.69	155.14	156.60
高压水泵 7.5kW	台时	113.03	114.17	115.27	116.36	117.45
排泥管 Φ300mm×4000mm	根时	87367.20	88610.58	89853.96	91097.34	92340.72
编　号		82018	82019	82020	82021	82022

续表

项目	单位	排泥管线长度(m)				
		7600	7700	7800	7900	8000
工长	工时	6.0	6.0	6.0	6.0	6.0
高级工	工时					
中级工	工时	50.2	50.5	50.8	51.1	51.4
初级工	工时	222.3	222.3	222.3	222.3	222.3
合计	工时	278.5	278.8	279.1	279.4	279.7
零星材料费	%	3	3	3	3	3
高压水泵 22kW	台时	251.53	251.53	251.53	251.53	251.53
水枪 Φ65mm	台时	621.76	623.01	624.32	625.69	627.02
泥浆泵 22kW	台时	251.53	251.53	251.53	251.53	251.53
排泥管 Φ150mm	百米时	503.05	503.05	503.05	503.05	503.05
泥浆泵 136kW	台时	158.28	159.95	161.69	163.52	165.29
高压水泵 7.5kW	台时	118.71	119.96	121.27	122.64	123.97
排泥管 Φ300mm×4000mm	根时	93584.10	94827.48	96070.86	97314.24	98557.62
编号		82023	82024	82025	82026	82027

续表

项目	单位	排泥管线长度(m)				
		8100	8200	8300	8400	8500
工长	工时	6.0	6.0	6.0	6.0	6.0
高级工	工时					
中级工	工时	51.7	52.0	52.3	52.6	52.9
初级工	工时	222.3	222.3	222.3	222.3	222.3
合计	工时	280.0	280.3	280.6	280.9	281.2
零星材料费	%	3	3	3	3	3
高压水泵 22kW	台时	251.53	251.53	251.53	251.53	251.53
水枪 Φ65mm	台时	628.32	629.59	630.92	632.19	633.42
泥浆泵 22kW	台时	251.53	251.53	251.53	251.53	251.53
排泥管 Φ150mm	百米时	503.05	503.05	503.05	503.05	503.05
泥浆泵 136kW	台时	167.02	168.72	170.49	172.19	173.83
高压水泵 7.5kW	台时	125.27	126.54	127.87	129.14	130.37
排泥管 Φ300mm×4000mm	根时	99801.00	101044.38	102287.76	103531.14	104774.52
编号		82028	82029	82030	82031	82032

续表

项　　目	单位	排泥管线长度(m)				
		8600	8700	8800	8900	9000
工　长	工时	6.0	6.0	6.0	6.0	6.0
高级工	工时					
中级工	工时	53.2	53.5	53.8	54.1	54.4
初级工	工时	222.3	222.3	222.3	222.3	222.3
合　计	工时	281.5	281.8	282.1	282.4	282.7
零星材料费	%	3	3	3	3	3
高压水泵 22kW	台时	251.53	251.53	251.53	251.53	251.53
水枪 Φ65mm	台时	634.68	635.95	637.17	638.38	639.57
泥浆泵 22kW	台时	251.53	251.53	251.53	251.53	251.53
排泥管 Φ150mm	百米时	503.05	503.05	503.05	503.05	503.05
泥浆泵 136kW	台时	175.50	177.20	178.83	180.44	182.03
高压水泵 7.5kW	台时	131.63	132.90	134.12	135.33	136.52
排泥管 Φ300mm×4000mm	根时	106017.90	107261.28	108504.66	109748.04	110991.42
编　　号		82033	82034	82035	82036	82037

续表

项　　目	单位	排泥管线长度(m)				
		9100	9200	9300	9400	9500
工　长	工时	6.0	6.0	6.0	6.0	6.0
高级工	工时					
中级工	工时	54.7	55.0	55.3	55.6	55.9
初级工	工时	222.3	222.3	222.3	222.3	222.3
合　计	工时	283.0	283.3	283.6	283.9	284.2
零星材料费	%	3	3	3	3	3
高压水泵 22kW	台时	251.53	251.53	251.53	251.53	251.53
水枪 Φ65mm	台时	640.80	641.97	643.13	644.28	645.45
泥浆泵 22kW	台时	251.53	251.53	251.53	251.53	251.53
排泥管 Φ150mm	百米时	503.05	503.05	503.05	503.05	503.05
泥浆泵 136kW	台时	183.66	185.22	186.77	188.31	189.87
高压水泵 7.5kW	台时	137.75	138.92	140.08	141.23	142.40
排泥管 Φ300mm×4000mm	根时	112234.80	113478.18	114721.56	115964.94	117208.32
编　　号		82038	82039	82040	82041	82042

续表

项　目	单位	排泥管线长度(m)				
		9600	9700	9800	9900	10000
工　长	工时	6.0	6.0	6.0	6.0	6.0
高级工	工时					
中级工	工时	56.2	56.5	56.8	57.1	57.4
初级工	工时	222.3	222.3	222.3	222.3	222.3
合　计	工时	284.5	284.8	285.1	285.4	285.7
零星材料费	%	3	3	3	3	3
高压水泵 22kW	台时	251.53	251.53	251.53	251.53	251.53
水枪 Φ65mm	台时	646.58	647.70	648.81	649.94	651.16
泥浆泵 22kW	台时	251.53	251.53	251.53	251.53	251.53
排泥管 Φ150mm	百米时	503.05	503.05	503.05	503.05	503.05
泥浆泵 136kW	台时	191.37	192.86	194.35	195.85	197.48
高压水泵 7.5kW	台时	143.53	144.65	145.76	146.89	148.11
排泥管 Φ300mm×4000mm	根时	118451.70	119695.08	120938.46	122181.84	123425.00
编　号		82043	82044	82045	82046	82047

续表

项目	单位	排泥管线长度(m)				
		10100	10200	10300	10400	10500
工长	工时	6.0	6.0	6.0	6.0	6.0
高级工	工时					
中级工	工时	57.7	58.0	58.3	58.6	58.9
初级工	工时	222.3	222.3	222.3	222.3	222.3
合计	工时	286.0	286.3	286.6	286.9	287.2
零星材料费	%	3	3	3	3	3
高压水泵 22kW	台时	251.53	251.53	251.53	251.53	251.53
水枪 Φ65mm	台时	652.38	653.60	654.82	656.04	657.26
泥浆泵 22kW	台时	251.53	251.53	251.53	251.53	251.53
排泥管 Φ150mm	百米时	503.05	503.05	503.05	503.05	503.05
泥浆泵 136kW	台时	199.11	200.74	202.37	204.00	205.63
高压水泵 7.5kW	台时	149.33	150.55	151.77	152.99	154.21
排泥管 Φ300mm×4000mm	根时	124668.16	125911.32	127154.48	128397.64	129640.80
编号		82048	82049	82050	82051	82052

续表

项目	单位	排泥管线长度(m)				
		10600	10700	10800	10900	11000
工　长	工时	6.0	6.0	6.0	6.0	6.0
高级工	工时					
中级工	工时	59.2	59.5	59.8	60.1	60.4
初级工	工时	222.3	222.3	222.3	222.3	222.3
合　计	工时	287.5	287.8	288.1	288.4	288.7
零星材料费	%	3	3	3	3	3
高压水泵 22kW	台时	251.53	251.53	251.53	251.53	251.53
水枪 Φ65mm	台时	658.48	659.70	660.92	662.14	663.36
泥浆泵 22kW	台时	251.53	251.53	251.53	251.53	251.53
排泥管 Φ150mm	百米时	503.05	503.05	503.05	503.05	503.05
泥浆泵 136kW	台时	207.26	208.89	210.52	212.15	213.78
高压水泵 7.5kW	台时	155.43	156.65	157.87	159.09	160.31
排泥管 Φ300mm×4000mm	根时	130883.96	132127.12	133370.28	134613.44	135856.60
编　号		82053	82054	82055	82056	82057

续表

项　　目	单位	排泥管线长度(m)				
		11100	11200	11300	11400	11500
工　长	工时	6.0	6.0	6.0	6.0	6.0
高级工	工时					
中级工	工时	60.7	61.0	61.3	61.6	61.9
初级工	工时	222.3	222.3	222.3	222.3	222.3
合　计	工时	289.0	289.3	289.6	289.9	290.2
零星材料费	%	3	3	3	3	3
高压水泵 22kW	台时	251.53	251.53	251.53	251.53	251.53
水枪 Φ65mm	台时	664.58	665.80	667.02	668.24	669.46
泥浆泵 22kW	台时	251.53	251.53	251.53	251.53	251.53
排泥管 Φ150mm	百米时	503.05	503.05	503.05	503.05	503.05
泥浆泵 136kW	台时	215.41	217.04	218.67	220.30	221.93
高压水泵 7.5kW	台时	161.53	162.75	163.97	165.19	166.41
排泥管 Φ300mm×4000mm	根时	137099.76	138342.92	139586.08	140829.24	142072.40
编　　号		82058	82059	82060	82061	82062

续表

项目	单位	排泥管线长度(m)				
		11600	11700	11800	11900	12000
工长	工时	6.0	6.0	6.0	6.0	6.0
高级工	工时					
中级工	工时	62.2	62.5	62.8	63.1	63.4
初级工	工时	222.3	222.3	222.3	222.3	222.3
合计	工时	290.5	290.8	291.1	291.4	291.7
零星材料费	%	3	3	3	3	3
高压水泵 22kW	台时	251.53	251.53	251.53	251.53	251.53
水枪 Φ65mm	台时	670.68	671.90	673.12	674.34	675.56
泥浆泵 22kW	台时	251.53	251.53	251.53	251.53	251.53
排泥管 Φ150mm	百米时	503.05	503.05	503.05	503.05	503.05
泥浆泵 136kW	台时	223.56	225.19	226.82	228.45	230.08
高压水泵 7.5kW	台时	167.63	168.85	170.07	171.29	172.51
排泥管 Φ300mm×4000mm	根时	143315.56	144558.72	145801.88	147045.04	148288.20
编号		82063	82064	82065	82066	82067

3 136kW 组合泵

工作内容：1.水力冲挖机组开工展布、水力冲挖、吸排泥、作业面转移及收工集合。

2.修集浆池，加压泥浆泵排泥、淤区内作业面移位等作业及其他各种辅助作业。

(2) Ⅱ类土

单位：$10000m^3$

项目	单位	排泥管线长度(m)				
		≤600	700	800	900	1000
工长	工时	6.0	6.0	6.0	6.0	6.0
高级工	工时					
中级工	工时	32.7	33.0	33.3	33.6	33.9
初级工	工时	254.0	254.0	254.0	254.0	254.0
合计	工时	292.7	293.0	293.3	293.6	293.9
零星材料费	%	3	3	3	3	3
高压水泵 22kW	台时	321.95	321.95	321.95	321.95	321.95
水枪 Φ65mm	台时	676.64	678.03	679.41	680.78	682.14
泥浆泵 22kW	台时	321.95	321.95	321.95	321.95	321.95
排泥管 Φ150mm	百米时	643.90	643.90	643.90	643.90	643.90
泥浆泵 136kW	台时	43.65	45.51	47.34	49.17	50.98
高压水泵 7.5kW	台时	32.74	34.13	35.51	36.88	38.24
排泥管 Φ300mm×4000mm	根时	6547.50	7790.88	9034.26	10277.64	11521.02
编号		82068	82069	82070	82071	82072

续表

项　　目	单位	排泥管线长度(m)				
		1100	1200	1300	1400	1500
工　长	工时	6.0	6.0	6.0	6.0	6.0
高级工	工时					
中级工	工时	34.2	34.5	34.8	35.1	35.4
初级工	工时	254.0	254.0	254.0	254.0	254.0
合　计	工时	294.2	294.5	294.8	295.1	295.4
零星材料费	%	3	3	3	3	3
高压水泵 22kW	台时	321.95	321.95	321.95	321.95	321.95
水枪 Φ65mm	台时	683.48	684.80	686.10	686.49	687.72
泥浆泵 22kW	台时	321.95	321.95	321.95	321.95	321.95
排泥管 Φ150mm	百米时	643.90	643.90	643.90	643.90	643.90
泥浆泵 136kW	台时	52.77	54.53	56.26	56.78	58.43
高压水泵 7.5kW	台时	39.58	40.90	42.20	42.59	43.82
排泥管 Φ300mm×4000mm	根时	12764.40	14007.78	15251.16	16494.54	17737.92
编　　号		82073	82074	82075	82076	82077

续表

项目	单位	排泥管线长度(m)				
		1600	1700	1800	1900	2000
工　长	工时	6.0	6.0	6.0	6.0	6.0
高级工	工时					
中级工	工时	35.7	36.0	36.3	36.6	36.9
初级工	工时	254.0	254.0	254.0	254.0	254.0
合　计	工时	295.7	296.0	296.3	296.6	296.9
零星材料费	%	3	3	3	3	3
高压水泵 22kW	台时	321.95	321.95	321.95	321.95	321.95
水枪 Φ65mm	台时	688.93	690.10	691.23	692.31	693.36
泥浆泵 22kW	台时	321.95	321.95	321.95	321.95	321.95
排泥管 Φ150mm	百米时	643.90	643.90	643.90	643.90	643.90
泥浆泵 136kW	台时	60.04	61.60	63.10	64.55	65.94
高压水泵 7.5kW	台时	45.03	46.20	47.33	48.41	49.46
排泥管 Φ300mm×4000mm	根时	18981.30	20224.68	21468.06	22711.44	23954.82
编　号		82078	82079	82080	82081	82082

续表

项目	单位	排泥管线长度(m)				
		2100	2200	2300	2400	2500
工　长	工时	6.0	6.0	6.0	6.0	6.0
高级工	工时					
中级工	工时	37.2	37.5	37.8	38.1	38.4
初级工	工时	254.0	254.0	254.0	254.0	254.0
合　计	工时	297.2	297.5	297.8	298.1	298.4
零星材料费	%	3	3	3	3	3
高压水泵 22kW	台时	321.95	321.95	321.95	321.95	321.95
水枪 Φ65mm	台时	694.35	696.33	697.56	698.79	700.02
泥浆泵 22kW	台时	321.95	321.95	321.95	321.95	321.95
排泥管 Φ150mm	百米时	643.90	643.90	643.90	643.90	643.90
泥浆泵 136kW	台时	67.27	69.91	71.55	73.19	74.83
高压水泵 7.5kW	台时	50.45	52.43	53.66	54.89	56.12
排泥管 Φ300mm×4000mm	根时	25198.20	26441.58	27684.96	28928.34	30171.72
编　号		82083	82084	82085	82086	82087

续表

项　　目	单位	排泥管线长度(m)				
		2600	2700	2800	2900	3000
工　长	工时	6.0	6.0	6.0	6.0	6.0
高级工	工时					
中级工	工时	38.7	39.0	39.3	39.6	39.9
初级工	工时	254.0	254.0	254.0	254.0	254.0
合　计	工时	298.7	299.0	299.3	299.6	299.9
零星材料费	%	3	3	3	3	3
高压水泵 22kW	台时	321.95	321.95	321.95	321.95	321.95
水枪 Φ65mm	台时	701.25	702.48	703.71	704.94	706.17
泥浆泵 22kW	台时	321.95	321.95	321.95	321.95	321.95
排泥管 Φ150mm	百米时	643.90	643.90	643.90	643.90	643.90
泥浆泵 136kW	台时	76.47	78.11	79.75	81.39	83.03
高压水泵 7.5kW	台时	57.35	58.58	59.81	61.04	62.27
排泥管 Φ300mm×4000mm	根时	31415.10	32658.48	33901.86	35145.24	36388.62
编　　号		82088	82089	82090	82091	82092

续表

项　目	单位	排泥管线长度(m)				
		3100	3200	3300	3400	3500
工　长	工时	6.0	6.0	6.0	6.0	6.0
高级工	工时					
中级工	工时	40.2	40.5	40.8	41.1	41.4
初级工	工时	254.0	254.0	254.0	254.0	254.0
合　计	工时	300.2	300.5	300.8	301.1	301.4
零星材料费	%	3	3	3	3	3
高压水泵 22kW	台时	321.95	321.95	321.95	321.95	321.95
水枪 Φ65mm	台时	707.63	709.00	710.42	711.75	713.13
泥浆泵 22kW	台时	321.95	321.95	321.95	321.95	321.95
排泥管 Φ150mm	百米时	643.90	643.90	643.90	643.90	643.90
泥浆泵 136kW	台时	84.97	86.80	88.69	90.47	92.30
高压水泵 7.5kW	台时	63.73	65.10	66.52	67.85	69.23
排泥管 Φ300mm×4000mm	根时	37632.00	38875.38	40118.76	41362.14	42605.52
编　号		82093	82094	82095	82096	82097

续表

项目	单位	排泥管线长度(m)				
		3600	3700	3800	3900	4000
工长	工时	6.0	6.0	6.0	6.0	6.0
高级工	工时					
中级工	工时	41.7	42.0	42.3	42.6	42.9
初级工	工时	254.0	254.0	254.0	254.0	254.0
合计	工时	301.7	302.0	302.3	302.6	302.9
零星材料费	%	3	3	3	3	3
高压水泵 22kW	台时	321.95	321.95	321.95	321.95	321.95
水枪 Φ65mm	台时	714.42	715.76	717.02	718.31	719.52
泥浆泵 22kW	台时	321.95	321.95	321.95	321.95	321.95
排泥管 Φ150mm	百米时	643.90	643.90	643.90	643.90	643.90
泥浆泵 136kW	台时	94.03	95.81	97.49	99.21	100.83
高压水泵 7.5kW	台时	70.52	71.86	73.12	74.41	75.62
排泥管 Φ300mm×4000mm	根时	43848.90	45092.28	46335.66	47579.04	48822.42
编号		82098	82099	82100	82101	82102

续表

项　　目	单位	排泥管线长度(m)				
		4100	4200	4300	4400	4500
工　长	工时	6.0	6.0	6.0	6.0	6.0
高级工	工时					
中级工	工时	43.2	43.5	43.8	44.1	44.4
初级工	工时	254.0	254.0	254.0	254.0	254.0
合　计	工时	303.2	303.5	303.8	304.1	304.4
零星材料费	%	3	3	3	3	3
高压水泵 22kW	台时	321.95	321.95	321.95	321.95	321.95
水枪 Φ65mm	台时	720.77	721.94	723.13	724.26	725.40
泥浆泵 22kW	台时	321.95	321.95	321.95	321.95	321.95
排泥管 Φ150mm	百米时	643.90	643.90	643.90	643.90	643.90
泥浆泵 136kW	台时	102.49	104.05	105.64	107.14	108.66
高压水泵 7.5kW	台时	76.87	78.04	79.23	80.36	81.50
排泥管 Φ300mm×4000mm	根时	50065.80	51309.18	52552.56	53795.94	55039.32
编　　号		82103	82104	82105	82106	82107

续表

项目	单位	排泥管线长度(m)				
		4600	4700	4800	4900	5000
工长	工时	6.0	6.0	6.0	6.0	6.0
高级工	工时					
中级工	工时	44.7	45.0	45.3	45.6	45.9
初级工	工时	254.0	254.0	254.0	254.0	254.0
合计	工时	304.7	305.0	305.3	305.6	305.9
零星材料费	%	3	3	3	3	3
高压水泵 22kW	台时	321.95	321.95	321.95	321.95	321.95
水枪 Φ65mm	台时	726.48	727.56	728.60	729.64	730.65
泥浆泵 22kW	台时	321.95	321.95	321.95	321.95	321.95
排泥管 Φ150mm	百米时	643.90	643.90	643.90	643.90	643.90
泥浆泵 136kW	台时	110.10	111.55	112.93	114.32	115.66
高压水泵 7.5kW	台时	82.58	83.66	84.70	85.74	86.75
排泥管 Φ300mm×4000mm	根时	56282.70	57526.08	58769.46	60012.84	61256.22
编号		82108	82109	82110	82111	82112

续表

项目	单位	排泥管线长度(m)				
		5100	5200	5300	5400	5500
工　长	工时	6.0	6.0	6.0	6.0	6.0
高级工	工时					
中级工	工时	46.2	46.5	46.8	47.1	47.4
初级工	工时	254.0	254.0	254.0	254.0	254.0
合　计	工时	306.2	306.5	306.8	307.1	307.4
零星材料费	%	3	3	3	3	3
高压水泵 22kW	台时	321.95	321.95	321.95	321.95	321.95
水枪 Φ65mm	台时	731.91	733.18	734.33	735.71	736.93
泥浆泵 22kW	台时	321.95	321.95	321.95	321.95	321.95
排泥管 Φ150mm	百米时	643.90	643.90	643.90	643.90	643.90
泥浆泵 136kW	台时	117.35	119.04	120.57	122.41	124.04
高压水泵 7.5kW	台时	88.01	89.28	90.43	91.81	93.03
排泥管 Φ300mm×4000mm	根时	62499.60	63742.98	64986.36	66229.74	67473.12
编　号		82113	82114	82115	82116	82117

续表

项目	单位	排泥管线长度(m)				
		5600	5700	5800	5900	6000
工长	工时	6.0	6.0	6.0	6.0	6.0
高级工	工时					
中级工	工时	47.7	48.0	48.3	48.6	48.9
初级工	工时	254.0	254.0	254.0	254.0	254.0
合计	工时	307.7	308.0	308.3	308.6	308.9
零星材料费	%	3	3	3	3	3
高压水泵 22kW	台时	321.95	321.95	321.95	321.95	321.95
水枪 Φ65mm	台时	738.24	739.63	740.97	742.25	743.59
泥浆泵 22kW	台时	321.95	321.95	321.95	321.95	321.95
排泥管 Φ150mm	百米时	643.90	643.90	643.90	643.90	643.90
泥浆泵 136kW	台时	125.79	127.64	129.43	131.13	132.92
高压水泵 7.5kW	台时	94.34	95.73	97.07	98.35	99.69
排泥管 Φ300mm×4000mm	根时	68716.50	69959.88	71203.26	72446.64	73690.02
编号		82118	82119	82120	82121	82122

续表

项　　目	单位	排泥管线长度(m)				
		6100	6200	6300	6400	6500
工　长	工时	6.0	6.0	6.0	6.0	6.0
高级工	工时					
中级工	工时	49.2	49.5	49.8	50.1	50.4
初级工	工时	254.0	254.0	254.0	254.0	254.0
合　计	工时	309.2	309.5	309.8	310.1	310.4
零星材料费	%	3	3	3	3	3
高压水泵 22kW	台时	321.95	321.95	321.95	321.95	321.95
水枪 Φ65mm	台时	744.89	746.13	747.43	748.68	749.88
泥浆泵 22kW	台时	321.95	321.95	321.95	321.95	321.95
排泥管 Φ150mm	百米时	643.90	643.90	643.90	643.90	643.90
泥浆泵 136kW	台时	134.65	136.31	138.04	139.70	141.30
高压水泵 7.5kW	台时	100.99	102.23	103.53	104.78	105.98
排泥管 Φ300mm×4000mm	根时	74933.40	76176.78	77420.16	78663.54	79906.92
编　　号		82123	82124	82125	82126	82127

续表

项目	单位	排泥管线长度(m)				
		6600	6700	6800	6900	7000
工长	工时	6.0	6.0	6.0	6.0	6.0
高级工	工时					
中级工	工时	50.7	51.0	51.3	51.6	51.9
初级工	工时	254.0	254.0	254.0	254.0	254.0
合计	工时	310.7	311.0	311.3	311.6	311.9
零星材料费	%	3	3	3	3	3
高压水泵 22kW	台时	321.95	321.95	321.95	321.95	321.95
水枪 Φ65mm	台时	751.12	752.31	753.48	754.67	755.81
泥浆泵 22kW	台时	321.95	321.95	321.95	321.95	321.95
排泥管 Φ150mm	百米时	643.90	643.90	643.90	643.90	643.90
泥浆泵 136kW	台时	142.96	144.55	146.10	147.69	149.21
高压水泵 7.5kW	台时	107.22	108.41	109.58	110.77	111.91
排泥管 Φ300mm×4000mm	根时	81150.30	82393.68	83637.06	84880.44	86123.82
编号		82128	82129	82130	82131	82132

续表

项　目	单位	排泥管线长度(m)				
		7100	7200	7300	7400	7500
工　长	工时	6.0	6.0	6.0	6.0	6.0
高级工	工时					
中级工	工时	52.2	52.5	52.8	53.1	53.4
初级工	工时	254.0	254.0	254.0	254.0	254.0
合　计	工时	312.2	312.5	312.8	313.1	313.4
零星材料费	%	3	3	3	3	3
高压水泵 22kW	台时	321.95	321.95	321.95	321.95	321.95
水枪 Φ65mm	台时	756.93	758.07	759.17	760.26	761.35
泥浆泵 22kW	台时	321.95	321.95	321.95	321.95	321.95
排泥管 Φ150mm	百米时	643.90	643.90	643.90	643.90	643.90
泥浆泵 136kW	台时	150.71	152.23	153.69	155.14	156.60
高压水泵 7.5kW	台时	113.03	114.17	115.27	116.36	117.45
排泥管 Φ300mm×4000mm	根时	87367.20	88610.58	89853.96	91097.34	92340.72
编　号		82133	82134	82135	82136	82137

续表

项目	单位	排泥管线长度(m)				
		7600	7700	7800	7900	8000
工长	工时	6.0	6.0	6.0	6.0	6.0
高级工	工时					
中级工	工时	53.7	54.0	54.3	54.6	54.9
初级工	工时	254.0	254.0	254.0	254.0	254.0
合计	工时	313.7	314.0	314.3	314.6	314.9
零星材料费	%	3	3	3	3	3
高压水泵 22kW	台时	321.95	321.95	321.95	321.95	321.95
水枪 Φ65mm	台时	762.61	763.86	765.17	766.54	767.87
泥浆泵 22kW	台时	321.95	321.95	321.95	321.95	321.95
排泥管 Φ150mm	百米时	643.90	643.90	643.90	643.90	643.90
泥浆泵 136kW	台时	158.28	159.95	161.69	163.52	165.29
高压水泵 7.5kW	台时	118.71	119.96	121.27	122.64	123.97
排泥管 Φ300mm×4000mm	根时	93584.10	94827.48	96070.86	97314.24	98557.62
编号		82138	82139	82140	82141	82142

续表

项目	单位	排泥管线长度(m)				
		8100	8200	8300	8400	8500
工长	工时	6.0	6.0	6.0	6.0	6.0
高级工	工时					
中级工	工时	55.2	55.5	55.8	56.1	56.4
初级工	工时	254.0	254.0	254.0	254.0	254.0
合计	工时	315.2	315.5	315.8	316.1	316.4
零星材料费	%	3	3	3	3	3
高压水泵 22kW	台时	321.95	321.95	321.95	321.95	321.95
水枪 Φ65mm	台时	769.17	770.44	771.77	773.04	774.27
泥浆泵 22kW	台时	321.95	321.95	321.95	321.95	321.95
排泥管 Φ150mm	百米时	643.90	643.90	643.90	643.90	643.90
泥浆泵 136kW	台时	167.02	168.72	170.49	172.19	173.83
高压水泵 7.5kW	台时	125.27	126.54	127.87	129.14	130.37
排泥管 Φ300mm×4000mm	根时	99801.00	101044.38	102287.76	103531.14	104774.52
编号		82143	82144	82145	82146	82147

续表

项目	单位	排泥管线长度(m)				
		8600	8700	8800	8900	9000
工长	工时	6.0	6.0	6.0	6.0	6.0
高级工	工时					
中级工	工时	56.7	57.0	57.3	57.6	57.9
初级工	工时	254.0	254.0	254.0	254.0	254.0
合计	工时	316.7	317.0	317.3	317.6	317.9
零星材料费	%	3	3	3	3	3
高压水泵 22kW	台时	321.95	321.95	321.95	321.95	321.95
水枪 Φ65mm	台时	775.53	776.80	778.02	779.23	780.42
泥浆泵 22kW	台时	321.95	321.95	321.95	321.95	321.95
排泥管 Φ150mm	百米时	643.90	643.90	643.90	643.90	643.90
泥浆泵 136kW	台时	175.50	177.20	178.83	180.44	182.03
高压水泵 7.5kW	台时	131.63	132.90	134.12	135.33	136.52
排泥管 Φ300mm×4000mm	根时	106017.90	107261.28	108504.66	109748.04	110991.42
编号		82148	82149	82150	82151	82152

续表

项目	单位	排泥管线长度(m)				
		9100	9200	9300	9400	9500
工　长	工时	6.0	6.0	6.0	6.0	6.0
高级工	工时					
中级工	工时	58.2	58.5	58.8	59.1	59.4
初级工	工时	254.0	254.0	254.0	254.0	254.0
合　计	工时	318.2	318.5	318.8	319.1	319.4
零星材料费	%	3	3	3	3	3
高压水泵 22kW	台时	321.95	321.95	321.95	321.95	321.95
水枪 Φ65mm	台时	781.65	782.82	783.98	785.13	786.30
泥浆泵 22kW	台时	321.95	321.95	321.95	321.95	321.95
排泥管 Φ150mm	百米时	643.90	643.90	643.90	643.90	643.90
泥浆泵 136kW	台时	183.66	185.22	186.77	188.31	189.87
高压水泵 7.5kW	台时	137.75	138.92	140.08	141.23	142.40
排泥管 Φ300mm×4000mm	根时	112234.80	113478.18	114721.56	115964.94	117208.32
编　号		82153	82154	82155	82156	82157

续表

项目	单位	排泥管线长度(m)				
		9600	9700	9800	9900	10000
工长	工时	6.0	6.0	6.0	6.0	6.0
高级工	工时					
中级工	工时	59.7	60.0	60.3	60.6	60.9
初级工	工时	254.0	254.0	254.0	254.0	254.0
合计	工时	319.7	320.0	320.3	320.6	320.9
零星材料费	%	3	3	3	3	3
高压水泵 22kW	台时	321.95	321.95	321.95	321.95	321.95
水枪 Φ65mm	台时	787.43	788.55	789.66	790.79	792.01
泥浆泵 22kW	台时	321.95	321.95	321.95	321.95	321.95
排泥管 Φ150mm	百米时	643.90	643.90	643.90	643.90	643.90
泥浆泵 136kW	台时	191.37	192.86	194.35	195.85	197.48
高压水泵 7.5kW	台时	143.53	144.65	145.76	146.89	148.11
排泥管 Φ300mm×4000mm	根时	118451.70	119695.08	120938.46	122181.84	123425.00
编号		82158	82159	82160	82161	82162

续表

项目	单位	排泥管线长度(m)				
		10100	10200	10300	10400	10500
工　长	工时	6.0	6.0	6.0	6.0	6.0
高级工	工时					
中级工	工时	61.2	61.5	61.8	62.1	62.4
初级工	工时	254.0	254.0	254.0	254.0	254.0
合　计	工时	321.2	321.5	321.8	322.1	322.4
零星材料费	%	3	3	3	3	3
高压水泵 22kW	台时	321.95	321.95	321.95	321.95	321.95
水枪 Φ65mm	台时	793.23	794.45	795.67	796.89	798.11
泥浆泵 22kW	台时	321.95	321.95	321.95	321.95	321.95
排泥管 Φ150mm	百米时	643.90	643.90	643.90	643.90	643.90
泥浆泵 136kW	台时	199.11	200.74	202.37	204.00	205.63
高压水泵 7.5kW	台时	149.33	150.55	151.77	152.99	154.21
排泥管 Φ300mm×4000mm	根时	124668.16	125911.32	127154.48	128397.64	129640.80
编号		82163	82164	82165	82166	82167

续表

项目	单位	排泥管线长度(m)				
		10600	10700	10800	10900	11000
工长	工时	6.0	6.0	6.0	6.0	6.0
高级工	工时					
中级工	工时	62.7	63.0	63.3	63.6	63.9
初级工	工时	254.0	254.0	254.0	254.0	254.0
合计	工时	322.7	323.0	323.3	323.6	323.9
零星材料费	%	3	3	3	3	3
高压水泵 22kW	台时	321.95	321.95	321.95	321.95	321.95
水枪 Φ65mm	台时	799.33	800.55	801.77	802.99	804.21
泥浆泵 22kW	台时	321.95	321.95	321.95	321.95	321.95
排泥管 Φ150mm	百米时	643.90	643.90	643.90	643.90	643.90
泥浆泵 136kW	台时	207.26	208.89	210.52	212.15	213.78
高压水泵 7.5kW	台时	155.43	156.65	157.87	159.09	160.31
排泥管 Φ300mm×4000mm	根时	130883.96	132127.12	133370.28	134613.44	135856.60
编号		82168	82169	82170	82171	82172

续表

项　　目	单位	排泥管线长度(m)				
		11100	11200	11300	11400	11500
工　长	工时	6.0	6.0	6.0	6.0	6.0
高级工	工时					
中级工	工时	64.2	64.5	64.8	65.1	65.4
初级工	工时	254.0	254.0	254.0	254.0	254.0
合　计	工时	324.2	324.5	324.8	325.1	325.4
零星材料费	%	3	3	3	3	3
高压水泵 22kW	台时	321.95	321.95	321.95	321.95	321.95
水枪 Φ65mm	台时	805.43	806.65	807.87	809.09	810.31
泥浆泵 22kW	台时	321.95	321.95	321.95	321.95	321.95
排泥管 Φ150mm	百米时	643.90	643.90	643.90	643.90	643.90
泥浆泵 136kW	台时	215.41	217.04	218.67	220.30	221.93
高压水泵 7.5kW	台时	161.53	162.75	163.97	165.19	166.41
排泥管 Φ300mm×4000mm	根时	137099.76	138342.92	139586.08	140829.24	142072.40
编　　号		82173	82174	82175	82176	82177

续表

项　　目	单位	排泥管线长度(m)				
		11600	11700	11800	11900	12000
工　长	工时	6.0	6.0	6.0	6.0	6.0
高级工	工时					
中级工	工时	65.7	66.0	66.3	66.6	66.9
初级工	工时	254.0	254.0	254.0	254.0	254.0
合　计	工时	325.7	326.0	326.3	326.6	326.9
零星材料费	%	3	3	3	3	3
高压水泵 22kW	台时	321.95	321.95	321.95	321.95	321.95
水枪 Φ65mm	台时	811.53	812.75	813.97	815.19	816.41
泥浆泵 22kW	台时	321.95	321.95	321.95	321.95	321.95
排泥管 Φ150mm	百米时	643.90	643.90	643.90	643.90	643.90
泥浆泵 136kW	台时	223.56	225.19	226.82	228.45	230.08
高压水泵 7.5kW	台时	167.63	168.85	170.07	171.29	172.51
排泥管 Φ300mm×4000mm	根时	143315.56	144558.72	145801.88	147045.04	148288.20
编　　号		82178	82179	82180	82181	82182

3　136kW 组合泵

工作内容：1.水力冲挖机组开工展布、水力冲挖、吸排泥、作业面转移及收工集合。

2.修集浆池，加压泥浆泵排泥、淤区内作业面移位等作业及其他各种辅助作业。

（3）　Ⅲ类土

单位：10000m³

项　　目	单位	排泥管线长度(m)				
		≤600	700	800	900	1000
工　长	工时	6.0	6.0	6.0	6.0	6.0
高级工	工时					
中级工	工时	38.9	39.2	39.5	39.8	40.1
初级工	工时	309.4	309.4	309.4	309.4	309.4
合　计	工时	354.3	354.6	354.9	355.2	355.5
零星材料费	%	3	3	3	3	3
高压水泵 22kW	台时	445.20	445.20	445.20	445.20	445.20
水枪 Φ65mm	台时	923.14	924.53	925.91	927.28	928.64
泥浆泵 22kW	台时	445.20	445.20	445.20	445.20	445.20
排泥管 Φ150mm	百米时	890.40	890.40	890.40	890.40	890.40
泥浆泵 136kW	台时	43.65	45.51	47.34	49.17	50.98
高压水泵 7.5kW	台时	32.74	34.13	35.51	36.88	38.24
排泥管 Φ300mm×4000mm	根时	6547.50	7790.88	9034.26	10277.64	11521.02
编　　号		82183	82184	82185	82186	82187

续表

项目	单位	排泥管线长度(m)				
		1100	1200	1300	1400	1500
工长	工时	6.0	6.0	6.0	6.0	6.0
高级工	工时					
中级工	工时	40.4	40.7	41.0	41.3	41.6
初级工	工时	309.4	309.4	309.4	309.4	309.4
合计	工时	355.8	356.1	356.4	356.7	357.0
零星材料费	%	3	3	3	3	3
高压水泵 22kW	台时	445.20	445.20	445.20	445.20	445.20
水枪 Φ65mm	台时	929.98	931.30	932.60	932.99	934.22
泥浆泵 22kW	台时	445.20	445.20	445.20	445.20	445.20
排泥管 Φ150mm	百米时	890.40	890.40	890.40	890.40	890.40
泥浆泵 136kW	台时	52.77	54.53	56.26	56.78	58.43
高压水泵 7.5kW	台时	39.58	40.90	42.20	42.59	43.82
排泥管 Φ300mm × 4000mm	根时	12764.40	14007.78	15251.16	16494.54	17737.92
编号		82188	82189	82190	82191	82192

续表

项目	单位	排泥管线长度(m)				
		1600	1700	1800	1900	2000
工长	工时	6.0	6.0	6.0	6.0	6.0
高级工	工时					
中级工	工时	41.9	42.2	42.5	42.8	43.1
初级工	工时	309.4	309.4	309.4	309.4	309.4
合计	工时	357.3	357.6	357.9	358.2	358.5
零星材料费	%	3	3	3	3	3
高压水泵 22kW	台时	445.20	445.20	445.20	445.20	445.20
水枪 Φ65mm	台时	935.43	936.60	937.73	938.81	939.86
泥浆泵 22kW	台时	445.20	445.20	445.20	445.20	445.20
排泥管 Φ150mm	百米时	890.40	890.40	890.40	890.40	890.40
泥浆泵 136kW	台时	60.04	61.60	63.10	64.55	65.94
高压水泵 7.5kW	台时	45.03	46.20	47.33	48.41	49.46
排泥管 Φ300mm×4000mm	根时	18981.30	20224.68	21468.06	22711.44	23954.82
编号		82193	82194	82195	82196	82197

续表

项　目	单位	排泥管线长度(m)				
		2100	2200	2300	2400	2500
工　长	工时	6.0	6.0	6.0	6.0	6.0
高级工	工时					
中级工	工时	43.4	43.7	44.0	44.3	44.6
初级工	工时	309.4	309.4	309.4	309.4	309.4
合　计	工时	358.8	359.1	359.4	359.7	360.0
零星材料费	%	3	3	3	3	3
高压水泵 22kW	台时	445.20	445.20	445.20	445.20	445.20
水枪 Φ65mm	台时	940.85	942.83	944.06	945.29	946.52
泥浆泵 22kW	台时	445.20	445.20	445.20	445.20	445.20
排泥管 Φ150mm	百米时	890.40	890.40	890.40	890.40	890.40
泥浆泵 136kW	台时	67.27	69.91	71.55	73.19	74.83
高压水泵 7.5kW	台时	50.45	52.43	53.66	54.89	56.12
排泥管 Φ300mm×4000mm	根时	25198.20	26441.58	27684.96	28928.34	30171.72
编　号		82198	82199	82200	82201	82202

续表

项目	单位	排泥管线长度(m)				
		2600	2700	2800	2900	3000
工长	工时	6.0	6.0	6.0	6.0	6.0
高级工	工时					
中级工	工时	44.9	45.2	45.5	45.8	46.1
初级工	工时	309.4	309.4	309.4	309.4	309.4
合计	工时	360.3	360.6	360.9	361.2	361.5
零星材料费	%	3	3	3	3	3
高压水泵 22kW	台时	445.20	445.20	445.20	445.20	445.20
水枪 Φ65mm	台时	947.75	948.98	950.21	951.44	952.67
泥浆泵 22kW	台时	445.20	445.20	445.20	445.20	445.20
排泥管 Φ150mm	百米时	890.40	890.40	890.40	890.40	890.40
泥浆泵 136kW	台时	76.47	78.11	79.75	81.39	83.03
高压水泵 7.5kW	台时	57.35	58.58	59.81	61.04	62.27
排泥管 Φ300mm×4000mm	根时	31415.10	32658.48	33901.86	35145.24	36388.62
编号		82203	82204	82205	82206	82207

续表

项目	单位	排泥管线长度(m)				
		3100	3200	3300	3400	3500
工长	工时	6.0	6.0	6.0	6.0	6.0
高级工	工时					
中级工	工时	46.4	46.7	47.0	47.3	47.6
初级工	工时	309.4	309.4	309.4	309.4	309.4
合计	工时	361.8	362.1	362.4	362.7	363.0
零星材料费	%	3	3	3	3	3
高压水泵 22kW	台时	445.20	445.20	445.20	445.20	445.20
水枪 Φ65mm	台时	954.13	955.50	956.92	958.25	959.63
泥浆泵 22kW	台时	445.20	445.20	445.20	445.20	445.20
排泥管 Φ150mm	百米时	890.40	890.40	890.40	890.40	890.40
泥浆泵 136kW	台时	84.97	86.80	88.69	90.47	92.30
高压水泵 7.5kW	台时	63.73	65.10	66.52	67.85	69.23
排泥管 Φ300mm×4000mm	根时	37632.00	38875.38	40118.76	41362.14	42605.52
编号		82208	82209	82210	82211	82212

续表

项目	单位	排泥管线长度(m)				
		3600	3700	3800	3900	4000
工长	工时	6.0	6.0	6.0	6.0	6.0
高级工	工时					
中级工	工时	47.9	48.2	48.5	48.8	49.1
初级工	工时	309.4	309.4	309.4	309.4	309.4
合计	工时	363.3	363.6	363.9	364.2	364.5
零星材料费	%	3	3	3	3	3
高压水泵 22kW	台时	445.20	445.20	445.20	445.20	445.20
水枪 Φ65mm	台时	960.92	962.26	963.52	964.81	966.02
泥浆泵 22kW	台时	445.20	445.20	445.20	445.20	445.20
排泥管 Φ150mm	百米时	890.40	890.40	890.40	890.40	890.40
泥浆泵 136kW	台时	94.03	95.81	97.49	99.21	100.83
高压水泵 7.5kW	台时	70.52	71.86	73.12	74.41	75.62
排泥管 Φ300mm×4000mm	根时	43848.90	45092.28	46335.66	47579.04	48822.42
编号		82213	82214	82215	82216	82217

续表

项目	单位	排泥管线长度(m)				
		4100	4200	4300	4400	4500
工长	工时	6.0	6.0	6.0	6.0	6.0
高级工	工时					
中级工	工时	49.4	49.7	50.0	50.3	50.6
初级工	工时	309.4	309.4	309.4	309.4	309.4
合计	工时	364.8	365.1	365.4	365.7	366.0
零星材料费	%	3	3	3	3	3
高压水泵 22kW	台时	445.20	445.20	445.20	445.20	445.20
水枪 Φ65mm	台时	967.27	968.44	969.63	970.76	971.90
泥浆泵 22kW	台时	445.20	445.20	445.20	445.20	445.20
排泥管 Φ150mm	百米时	890.40	890.40	890.40	890.40	890.40
泥浆泵 136kW	台时	102.49	104.05	105.64	107.14	108.66
高压水泵 7.5kW	台时	76.87	78.04	79.23	80.36	81.50
排泥管 Φ300mm×4000mm	根时	50065.80	51309.18	52552.56	53795.94	55039.32
编号		82218	82219	82220	82221	82222

续表

项　　目	单位	排泥管线长度(m)				
		4600	4700	4800	4900	5000
工　长	工时	6.0	6.0	6.0	6.0	6.0
高级工	工时					
中级工	工时	50.9	51.2	51.5	51.8	52.1
初级工	工时	309.4	309.4	309.4	309.4	309.4
合　计	工时	366.3	366.6	366.9	367.2	367.5
零星材料费	%	3	3	3	3	3
高压水泵 22kW	台时	445.20	445.20	445.20	445.20	445.20
水枪 Φ65mm	台时	972.98	974.06	975.10	976.14	977.15
泥浆泵 22kW	台时	445.20	445.20	445.20	445.20	445.20
排泥管 Φ150mm	百米时	890.40	890.40	890.40	890.40	890.40
泥浆泵 136kW	台时	110.10	111.55	112.93	114.32	115.66
高压水泵 7.5kW	台时	82.58	83.66	84.70	85.74	86.75
排泥管 Φ300mm×4000mm	根时	56282.70	57526.08	58769.46	60012.84	61256.22
编　　号		82223	82224	82225	82226	82227

续表

项目	单位	排泥管线长度(m)				
		5100	5200	5300	5400	5500
工长	工时	6.0	6.0	6.0	6.0	6.0
高级工	工时					
中级工	工时	52.4	52.7	53.0	53.3	53.6
初级工	工时	309.4	309.4	309.4	309.4	309.4
合计	工时	367.8	368.1	368.4	368.7	369.0
零星材料费	%	3	3	3	3	3
高压水泵 22kW	台时	445.20	445.20	445.20	445.20	445.20
水枪 Φ65mm	台时	978.41	979.68	980.83	982.21	983.43
泥浆泵 22kW	台时	445.20	445.20	445.20	445.20	445.20
排泥管 Φ150mm	百米时	890.40	890.40	890.40	890.40	890.40
泥浆泵 136kW	台时	117.35	119.04	120.57	122.41	124.04
高压水泵 7.5kW	台时	88.01	89.28	90.43	91.81	93.03
排泥管 Φ300mm×4000mm	根时	62499.60	63742.98	64986.36	66229.74	67473.12
编号		82228	82229	82230	82231	82232

续表

项目	单位	排泥管线长度(m)				
		5600	5700	5800	5900	6000
工长	工时	6.0	6.0	6.0	6.0	6.0
高级工	工时					
中级工	工时	53.9	54.2	54.5	54.8	55.1
初级工	工时	309.4	309.4	309.4	309.4	309.4
合计	工时	369.3	369.6	369.9	370.2	370.5
零星材料费	%	3	3	3	3	3
高压水泵 22kW	台时	445.20	445.20	445.20	445.20	445.20
水枪 Φ65mm	台时	984.74	986.13	987.47	988.75	990.09
泥浆泵 22kW	台时	445.20	445.20	445.20	445.20	445.20
排泥管 Φ150mm	百米时	890.40	890.40	890.40	890.40	890.40
泥浆泵 136kW	台时	125.79	127.64	129.43	131.13	132.92
高压水泵 7.5kW	台时	94.34	95.73	97.07	98.35	99.69
排泥管 Φ300mm×4000mm	根时	68716.50	69959.88	71203.26	72446.64	73690.02
编号		82233	82234	82235	82236	82237

续表

项目	单位	排泥管线长度(m)				
		6100	6200	6300	6400	6500
工长	工时	6.0	6.0	6.0	6.0	6.0
高级工	工时					
中级工	工时	55.4	55.7	56.0	56.3	56.6
初级工	工时	309.4	309.4	309.4	309.4	309.4
合计	工时	370.8	371.1	371.4	371.7	372.0
零星材料费	%	3	3	3	3	3
高压水泵 22kW	台时	445.20	445.20	445.20	445.20	445.20
水枪 Φ65mm	台时	991.39	992.63	993.93	995.18	996.38
泥浆泵 22kW	台时	445.20	445.20	445.20	445.20	445.20
排泥管 Φ150mm	百米时	890.40	890.40	890.40	890.40	890.40
泥浆泵 136kW	台时	134.65	136.31	138.04	139.70	141.30
高压水泵 7.5kW	台时	100.99	102.23	103.53	104.78	105.98
排泥管 Φ300mm×4000mm	根时	74933.40	76176.78	77420.16	78663.54	79906.92
编号		82238	82239	82240	82241	82242

续表

项目	单位	排泥管线长度(m)				
		6600	6700	6800	6900	7000
工长	工时	6.0	6.0	6.0	6.0	6.0
高级工	工时					
中级工	工时	56.9	57.2	57.5	57.8	58.1
初级工	工时	309.4	309.4	309.4	309.4	309.4
合计	工时	372.3	372.6	372.9	373.2	373.5
零星材料费	%	3	3	3	3	3
高压水泵 22kW	台时	445.20	445.20	445.20	445.20	445.20
水枪 Φ65mm	台时	997.62	998.81	999.98	1001.17	1002.31
泥浆泵 22kW	台时	445.20	445.20	445.20	445.20	445.20
排泥管 Φ150mm	百米时	890.40	890.40	890.40	890.40	890.40
泥浆泵 136kW	台时	142.96	144.55	146.10	147.69	149.21
高压水泵 7.5kW	台时	107.22	108.41	109.58	110.77	111.91
排泥管 Φ300mm×4000mm	根时	81150.30	82393.68	83637.06	84880.44	86123.82
编号		82243	82244	82245	82246	82247

续表

项　　目	单位	排泥管线长度(m)				
		7100	7200	7300	7400	7500
工　长	工时	6.0	6.0	6.0	6.0	6.0
高级工	工时					
中级工	工时	58.4	58.7	59.0	59.3	59.6
初级工	工时	309.4	309.4	309.4	309.4	309.4
合　计	工时	373.8	374.1	374.4	374.7	375.0
零星材料费	%	3	3	3	3	3
高压水泵 22kW	台时	445.20	445.20	445.20	445.20	445.20
水枪 Φ65mm	台时	1003.43	1004.57	1005.67	1006.76	1007.85
泥浆泵 22kW	台时	445.20	445.20	445.20	445.20	445.20
排泥管 Φ150mm	百米时	890.40	890.40	890.40	890.40	890.40
泥浆泵 136kW	台时	150.71	152.23	153.69	155.14	156.60
高压水泵 7.5kW	台时	113.03	114.17	115.27	116.36	117.45
排泥管 Φ300mm×4000mm	根时	87367.20	88610.58	89853.96	91097.34	92340.72
编　　号		82248	82249	82250	82251	82252

续表

项目	单位	排泥管线长度(m)				
		7600	7700	7800	7900	8000
工长	工时	6.0	6.0	6.0	6.0	6.0
高级工	工时					
中级工	工时	59.9	60.2	60.5	60.8	61.1
初级工	工时	309.4	309.4	309.4	309.4	309.4
合计	工时	375.3	375.6	375.9	376.2	376.5
零星材料费	%	3	3	3	3	3
高压水泵 22kW	台时	445.20	445.20	445.20	445.20	445.20
水枪 Φ65mm	台时	1009.11	1010.36	1011.67	1013.04	1014.37
泥浆泵 22kW	台时	445.20	445.20	445.20	445.20	445.20
排泥管 Φ150mm	百米时	890.40	890.40	890.40	890.40	890.40
泥浆泵 136kW	台时	158.28	159.95	161.69	163.52	165.29
高压水泵 7.5kW	台时	118.71	119.96	121.27	122.64	123.97
排泥管 Φ300mm×4000mm	根时	93584.10	94827.48	96070.86	97314.24	98557.62
编号		82253	82254	82255	82256	82257

续表

项目	单位	排泥管线长度(m)				
		8100	8200	8300	8400	8500
工长	工时	6.0	6.0	6.0	6.0	6.0
高级工	工时					
中级工	工时	61.4	61.7	62.0	62.3	62.6
初级工	工时	309.4	309.4	309.4	309.4	309.4
合计	工时	376.8	377.1	377.4	377.7	378.0
零星材料费	%	3	3	3	3	3
高压水泵 22kW	台时	445.20	445.20	445.20	445.20	445.20
水枪 Φ65mm	台时	1015.67	1016.94	1018.27	1019.54	1020.77
泥浆泵 22kW	台时	445.20	445.20	445.20	445.20	445.20
排泥管 Φ150mm	百米时	890.40	890.40	890.40	890.40	890.40
泥浆泵 136kW	台时	167.02	168.72	170.49	172.19	173.83
高压水泵 7.5kW	台时	125.27	126.54	127.87	129.14	130.37
排泥管 Φ300mm×4000mm	根时	99801.00	101044.38	102287.76	103531.14	104774.52
编号		82258	82259	82260	82261	82262

续表

项目	单位	排泥管线长度(m)				
		8600	8700	8800	8900	9000
工长	工时	6.0	6.0	6.0	6.0	6.0
高级工	工时					
中级工	工时	62.9	63.2	63.5	63.8	64.1
初级工	工时	309.4	309.4	309.4	309.4	309.4
合计	工时	378.3	378.6	378.9	379.2	379.5
零星材料费	%	3	3	3	3	3
高压水泵 22kW	台时	445.20	445.20	445.20	445.20	445.20
水枪 Φ65mm	台时	1022.03	1023.30	1024.52	1025.73	1026.92
泥浆泵 22kW	台时	445.20	445.20	445.20	445.20	445.20
排泥管 Φ150mm	百米时	890.40	890.40	890.40	890.40	890.40
泥浆泵 136kW	台时	175.50	177.20	178.83	180.44	182.03
高压水泵 7.5kW	台时	131.63	132.90	134.12	135.33	136.52
排泥管 Φ300mm×4000mm	根时	106017.90	107261.28	108504.66	109748.04	110991.42
编号		82263	82264	82265	82266	82267

续表

项目	单位	排泥管线长度(m)				
		9100	9200	9300	9400	9500
工长	工时	6.0	6.0	6.0	6.0	6.0
高级工	工时					
中级工	工时	64.4	64.7	65.0	65.3	65.6
初级工	工时	309.4	309.4	309.4	309.4	309.4
合计	工时	379.8	380.1	380.4	380.7	381.0
零星材料费	%	3	3	3	3	3
高压水泵 22kW	台时	445.20	445.20	445.20	445.20	445.20
水枪 Φ65mm	台时	1028.15	1029.32	1030.48	1031.63	1032.80
泥浆泵 22kW	台时	445.20	445.20	445.20	445.20	445.20
排泥管 Φ150mm	百米时	890.40	890.40	890.40	890.40	890.40
泥浆泵 136kW	台时	183.66	185.22	186.77	188.31	189.87
高压水泵 7.5kW	台时	137.75	138.92	140.08	141.23	142.40
排泥管 Φ300mm×4000mm	根时	112234.80	113478.18	114721.56	115964.94	117208.32
编号		82268	82269	82270	82271	82272

续表

项目	单位	排泥管线长度(m)				
		9600	9700	9800	9900	10000
工长	工时	6.0	6.0	6.0	6.0	6.0
高级工	工时					
中级工	工时	65.9	66.2	66.5	66.8	67.1
初级工	工时	309.4	309.4	309.4	309.4	309.4
合计	工时	381.3	381.6	381.9	382.2	382.5
零星材料费	%	3	3	3	3	3
高压水泵 22kW	台时	445.20	445.20	445.20	445.20	445.20
水枪 Φ65mm	台时	1033.93	1035.05	1036.16	1037.29	1038.51
泥浆泵 22kW	台时	445.20	445.20	445.20	445.20	445.20
排泥管 Φ150mm	百米时	890.40	890.40	890.40	890.40	890.40
泥浆泵 136kW	台时	191.37	192.86	194.35	195.85	197.48
高压水泵 7.5kW	台时	143.53	144.65	145.76	146.89	148.11
排泥管 Φ300mm×4000mm	根时	118451.70	119695.08	120938.46	122181.84	123425.00
编号		82273	82274	82275	82276	82277

续表

项目	单位	排泥管线长度(m)				
		10100	10200	10300	10400	10500
工长	工时	6.0	6.0	6.0	6.0	6.0
高级工	工时					
中级工	工时	67.4	67.7	68.0	68.3	68.6
初级工	工时	309.4	309.4	309.4	309.4	309.4
合计	工时	382.8	383.1	383.4	383.7	384.0
零星材料费	%	3	3	3	3	3
高压水泵 22kW	台时	445.20	445.20	445.20	445.20	445.20
水枪 Φ65mm	台时	1039.73	1040.95	1042.17	1043.39	1044.61
泥浆泵 22kW	台时	445.20	445.20	445.20	445.20	445.20
排泥管 Φ150mm	百米时	890.40	890.40	890.40	890.40	890.40
泥浆泵 136kW	台时	199.11	200.74	202.37	204.00	205.63
高压水泵 7.5kW	台时	149.33	150.55	151.77	152.99	154.21
排泥管 Φ300mm×4000mm	根时	124668.16	125911.32	127154.48	128397.64	129640.80
编号		82278	82279	82280	82281	82282

续表

项目	单位	排泥管线长度(m)				
		10600	10700	10800	10900	11000
工长	工时	6.0	6.0	6.0	6.0	6.0
高级工	工时					
中级工	工时	68.9	69.2	69.5	69.8	70.1
初级工	工时	309.4	309.4	309.4	309.4	309.4
合计	工时	384.3	384.6	384.9	385.2	385.5
零星材料费	%	3	3	3	3	3
高压水泵 22kW	台时	445.20	445.20	445.20	445.20	445.20
水枪 Φ65mm	台时	1045.83	1047.05	1048.27	1049.49	1050.71
泥浆泵 22kW	台时	445.20	445.20	445.20	445.20	445.20
排泥管 Φ150mm	百米时	890.40	890.40	890.40	890.40	890.40
泥浆泵 136kW	台时	207.26	208.89	210.52	212.15	213.78
高压水泵 7.5kW	台时	155.43	156.65	157.87	159.09	160.31
排泥管 Φ300mm×4000mm	根时	130883.96	132127.12	133370.28	134613.44	135856.60
编号		82283	82284	82285	82286	82287

续表

项　　目	单位	排泥管线长度(m)				
		11100	11200	11300	11400	11500
工　长	工时	6.0	6.0	6.0	6.0	6.0
高级工	工时					
中级工	工时	70.4	70.7	71.0	71.3	71.6
初级工	工时	309.4	309.4	309.4	309.4	309.4
合　计	工时	385.8	386.1	386.4	386.7	387.0
零星材料费	%	3	3	3	3	3
高压水泵 22kW	台时	445.20	445.20	445.20	445.20	445.20
水枪 Φ65mm	台时	1051.93	1053.15	1054.37	1055.59	1056.81
泥浆泵 22kW	台时	445.20	445.20	445.20	445.20	445.20
排泥管 Φ150mm	百米时	890.40	890.40	890.40	890.40	890.40
泥浆泵 136kW	台时	215.41	217.04	218.67	220.30	221.93
高压水泵 7.5kW	台时	161.53	162.75	163.97	165.19	166.41
排泥管 Φ300mm×4000mm	根时	137099.76	138342.92	139586.08	140829.24	142072.40
编　　号		82288	82289	82290	82291	82292

续表

项　　目	单位	排泥管线长度(m)				
		11600	11700	11800	11900	12000
工　长	工时	6.0	6.0	6.0	6.0	6.0
高级工	工时					
中级工	工时	71.9	72.2	72.5	72.8	73.1
初级工	工时	309.4	309.4	309.4	309.4	309.4
合　计	工时	387.3	387.6	387.9	388.2	388.5
零星材料费	%	3	3	3	3	3
高压水泵 22kW	台时	445.20	445.20	445.20	445.20	445.20
水枪 Φ65mm	台时	1058.03	1059.25	1060.47	1061.69	1062.91
泥浆泵 22kW	台时	445.20	445.20	445.20	445.20	445.20
排泥管 Φ150mm	百米时	890.40	890.40	890.40	890.40	890.40
泥浆泵 136kW	台时	223.56	225.19	226.82	228.45	230.08
高压水泵 7.5kW	台时	167.63	168.85	170.07	171.29	172.51
排泥管 Φ300mm×4000mm	根时	143315.56	144558.72	145801.88	147045.04	148288.20
编　　号		82293	82294	82295	82296	82297

施工机械台时费定额

	项目	单位	水力冲挖机组				泥浆泵		高压水泵	排泥管(根)
			高压水泵	水枪	泥浆泵	排泥管	功率		功率	管径×长度
			22kW	Φ65mm	22kW	Φ150mm 长 100m	100kW	136kW	7.5kW	300mm×4000mm
(一)	折旧费	元	0.90	1.02	1.28	1.23	8.94	11.69	0.79	0.43
	修理及替换设备费	元	2.14	2.04	2.43	0.23	15.2	18.7	1.88	0.06
	安装拆卸费	元	0.43		0.61		3.8	4.68	0.38	
	小计	元	3.47	3.06	4.32	1.46	27.94	35.07	3.05	0.49
(二)	人工	工时	0.7	2.0	0.7		3.0	3.0	0.7	
	汽油	kg								
	柴油	kg					22.3	29.5		
	电	kW·h	20.5		17.6				7.0	
	风	m^3								
	水	m^3								
	煤	kg								
	备注									
	编号		7301	(7068)	7302	7303	7304	7305	7306	(7101)

附录

水力冲挖机组土类划分表

土类		土类名称	自然容重（kg/m^3）	外形特征	开挖方法
Ⅰ	1	稀淤	1500～1800	含水饱和,搅动即成糊状	不成锹,用桶装运
	2	流沙		含水饱和,能缓缓流动,挖而复涨	
Ⅱ	1	砂土	1650～1750	颗粒较粗,无凝聚性和可塑性,空隙大,易透水	用铁锹开挖
	2	砂壤土		土质松软,由砂及壤土组成,易成浆	
Ⅲ	1	烂淤	1700～1850	行走陷足,粘锹粘筐	用铁锹或长苗大锹开挖
	2	壤土		手触感觉有砂的成分,可塑性好	
	3	含根种植土		有植物根系,能成块,易打碎	